C0-AUN-547

# Odruch
# serca

DISCARD

# TONI MORRISON

# Odruch serca

Z angielskiego przełożyła
MARIA OLEJNICZAK-SKARSGÅRD

Wydawnictwo
A. Kuryłowicz

Pol FIC MORRISON
Morrison, Toni.
Odruch serca

Tytuł oryginału:
A MERCY

Copyright © Toni Morrison 2008
All rights reserved

Polish edition copyright © Wydawnictwo Albatros A. Kuryłowicz 2009
Polish translation copyright © Maria Olejniczak-Skarsgdrd 2009

Redakcja: Anna Walenko
Ilustracja na okładce: Getty Images/Flash Press Media
Projekt graficzny okładki i serii: Andrzej Kuryłowicz
Skład: Laguna


ISBN 978-83-7359-910-9
(oprawa twarda)
ISBN 978-83-7359-909-3
(oprawa miękka)


*Dystrybucja*
Firma Księgarska Jacek Olesiejuk
Poznańska 91, 05-850 Ożarów Maz.
t./f. 022-535-0557, 022-721-3011/7007/7009
www.olesiejuk.pl

*Sprzedaż wysyłkowa – księgarnie internetowe*
www.merlin.pl
www.empik.com
www.ksiazki.wp.pl


WYDAWNICTWO ALBATROS
ANDRZEJ KURYŁOWICZ
Wiktorii Wiedeńskiej 7/24, 02-954 Warszawa

2009. Wydanie I/oprawa miękka
Druk: OpolGraf S.A., Opole

R05018 05335

*Dla R.G.*
*Za błyskotliwość, wnikliwość i intelekt*
*przez dziesięciolecia.*
*Dziękuję*

plemię Wyandott

jez. Ontario

Naród Neutralny

Pięć Narodów

jez. Erie

plemię Eriga

rz. Alleg

plemię Andaste

rz. Monoghela

plemię Susguehannok

rz. Potomack

rz. Miami

rz. Sciota

plemię Mannahok

plemię Powhatan

plemię Monaean

rz. James

rz. Kenhawa

plemię Tuscarora

plemię Woocon

plemię Kokee

plemię Pannplie

plemię Catawba

plemię Cheraw

plemię Varna

rz. Kennebeck

rz. Connecticut

rz. Muhheakantuck

...nie Mimsi

Lenape

...anticoke

...aneake

przyl. Hatteras

Nie bój się. Moje opowiadanie nie może cię zranić mimo tego, co zrobiłam, i obiecuję, że będę siedzieć cicho w ciemności — może płacząc albo czasem widząc znów tę krew — ale nigdy więcej nie rozprostuję się, żeby powstać i obnażyć zęby. Wyjaśnię ci. Jeżeli chcesz, możesz uznać te słowa za wyznanie, pełne jednak dziwności spotykanych tylko w snach albo w chwilach, gdy w parze nad czajnikiem majaczy zarys psa. Albo gdy siedząca na półce lalka z łusek kukurydzy po chwili rozwala się w kącie izby i dobrze wiadomo, jakie podłe ją tam ściągnęło. Dziwniejsze rzeczy dzieją się cały czas wokoło. Sam wiesz. Wiem, że wiesz. Jedno pytanie jest takie, kto za to odpowiada? A drugie czy umiesz czytać? Kiedy pawica nie chce wysiadywać jajek, odczytuję to raz-dwa i, oczywiście, tej samej nocy widzę minha mãe, która stoi, trzymając za rękę swego malca, a moje buty wypychają kieszeń jej fartucha. Są znaki, których zrozumienie wymaga czasu. Często jest ich za wiele albo jasny omen powleka się mgłą za szybko. Porządkuję je i próbuję sobie przypomnieć, ale wiem, jak wiele mi umyka, na przykład nie odczytuję węża ogrodowca, który podpełza pod próg i tam zdycha. Rozpocznę od tego, co wiem na pewno.

Początek zaczyna się od butów. W dzieciństwie nie znoszę chodzić boso i ciągle dopraszam się butów, czyich bądź, nawet w upał. Moja mama, minha mãe, marszczy brwi rozeźlona, że się tak upiększam, jak mówi. Tylko złe kobiety chodzą w butach na obcasach. Jestem zuchwała i niepohamowana jej zdaniem, ale ulega mi i pozwala nosić trzewiki wyrzucone z domu senhory, ze spiczastymi czubkami, z jednym obcasem złamanym i drugim zdartym, ze sprzączką na wierzchu. To dlatego, twierdzi Lina, moje stopy są do niczego, zbyt delikatne, żeby wystarczyły do końca moich dni, bez mocnych i twardszych od zwierzęcej skóry podeszew koniecznych w życiu. Trzeba przyznać jej rację. Florens, powiada, jest rok tysiąc sześćset dziewięćdziesiąty. Kto prócz ciebie ma w dzisiejszych czasach ręce niewolnicy i stopy portugalskiej damy? A więc gdy wyruszam, żeby cię odszukać, Lina i pani dają mi pana buty z cholewkami, odpowiednie dla mężczyzny, a nie dla dziewczyny. Napychają je sianem i natłuszczonymi łuskami kukurydzy i każą mi schować list do pończochy — nieważne, że drapie mnie lak. Znam litery, ale nie czytam, co pisze pani, a Lina i Żałość nie umieją czytać. Wiem jednak, co jest w liście, i mam to powiedzieć, gdy ktoś mnie zatrzyma.

Mąci mi się w głowie z dwóch powodów — tak ciebie pragnę i tak się boję, że zabłądzę. Nic nie przeraża mnie bardziej niż to polecenie i nic nie jest większą pokusą. Od twojego zniknięcia marzę i knuję. Żeby dowiedzieć się, gdzie jesteś i jak tam dojść. Chcę przejść na drugą stronę szlaku i pobiec między bukami i wejmutkami, ale zadaję sobie pytanie którędy? Kto mi powie? Kto żyje w dziczy znajdującej się między tą farmą a tobą, czy mi pomoże, czy zrobi krzywdę? A te pozbawione kości niedźwiedzie w dolinie? Pamiętasz? Jak przy każdym ruchu futro kołysze się na nich i można sądzić, że pod spodem nie ma nic. Ich zapach przeczy ich pięknu, ich oczy znają nas od czasów, gdy i my jesteśmy zwierzętami. Mówisz mi, że dlatego zabójcze jest spojrzenie im w oczy. Zbliżają się, biegną do nas pełne miłości i chęci do zabawy, a my błędnie to odczytujemy i odpowiadamy strachem i złością. Gnieżdżą się tam również ogromne ptaki większe od krów, twierdzi Lina, poza tym nie wszyscy

Indianie są tacy jak ona, mówi do mnie, więc muszę uważać. Rozmodlona dzikuska, tak ją nazywają sąsiedzi, ponieważ swego czasu chodzi do kościoła, a przy tym codziennie się kąpie, czego chrześcijanie w ogóle nie robią. Pod ubraniem nosi jaskrawe niebieskie koraliki i tańczy ukradkiem przy wąskim sierpie księżyca. Bardziej niż czułych niedźwiedzi i ptaków większych od krów boję się nocy bez ścieżek. Jak cię znajdę w ciemności? Nareszcie jest sposób. Mam polecenie. Już ustalone. Zobaczę twoje usta i będę wodzić palcami w dół. Opierasz brodę na moich włosach, a ja przykładam twarz do twojego ramienia i oddycham, wdech i wydech, wdech i wydech. Jestem szczęśliwa, świat rozwiera się przed nami, ale jego nowość przyprawia mnie o drżenie. Żeby dostać się do ciebie, muszę opuścić jedyny dom, jedynych ludzi, jakich znam. Lina patrzy na moje zęby i uważa, że mam siedem, może osiem lat, gdy mnie tu przywożą. Od tego czasu gotujemy dzikie śliwki na dżem i ciasto osiem razy, więc mam szesnaście lat. Przed przyjazdem tu całymi dniami zbieram okrę i zamiatam suszarnię tytoniu, noce spędzam z minha mãe na podłodze w budynku kuchni. Jesteśmy ochrzczone i możemy zaznać szczęścia, gdy skończy się to życie. Tak mówi nam wielebny ojciec. Raz na siedem dni uczymy się pisać i czytać. Ponieważ nie możemy się stąd oddalać, wszyscy czworo ukrywamy się niedaleko bagna. Mama, ja, malec mamy i wielebny ojciec. Nie wolno mu tego robić, ale i tak nas uczy, mając się na baczności przed niegodziwymi Wirgińczykami i protestantami, którzy chcą go dopaść. Jeżeli im się uda, będzie musiał pójść do więzienia albo zapłacić pieniądze, albo i jedno, i drugie. Ma dwie książki i tabliczkę. My mamy patyki do rysowania na piasku i kamyki, żeby układać słowa na gładkim, płaskim głazie. Gdy litery są w głowach, składamy całe wyrazy. Jestem szybsza od mamy, natomiast jej mały jest do niczego. Niedługo umiem napisać z pamięci Credo Nicejskie ze wszystkimi przecinkami. Wyznanie mówimy, a nie piszemy, jak to właśnie robię. Do teraz już zapominam prawie całe. Lubię mówienie. Mówienie Liny, mówienie kamienia, nawet mówienie Żałości. Najlepsze jest twoje mówienie. Z początku, gdy mnie tu przywożą, nie odzywam się słowem. Wszystko, co słyszę, różni się od tego, co słowa znaczą dla minha mãe i dla mnie. Słowa Liny nie mówią nic, co znam. Ani słowa pani. Z wolna trochę mowy przychodzi na usta, a nie na kamień. Lina powiada, że miejsce mojej mowy na kamieniu znajduje się w Ziemi Mary, gdzie pan robi interesy. A więc to tam moja mama i jej mały są pogrzebani. Albo będą, gdy postanowią spocząć. Spanie z nimi na podłodze w budynku kuchni nie jest takie przyjemne jak spanie z Liną w połamanych saniach. Zimną porą stawiamy deski dokoła naszej części obory i obejmujemy się przykryte skórami zwierząt. Nie cuchniemy krowimi plackami, bo są zamarznięte, a my leżymy pod stosem futer. W lecie, gdy komary atakują nasze hamaki, Lina buduje chłodne posłanie z gałęzi. Ty w ogóle nie lubisz hamaka i wolisz spać na ziemi nawet w deszcz, chociaż pan proponuje ci, żebyś położył się w składziku. Żałość już nie śpi przy kominku. Twoi pomocnicy, Will i Scully, nigdy nie przebywają tu nocą, bo ich pan na to nie pozwala. Pamiętasz, jak nie chcą cię słuchać, dopóki pan im nie przykazuje? Mógł tak postąpić, bo oni są tu w zamian za dzierżawę ziemi od pana. Lina uważa, że pan w sprytny sposób dostaje, nie dając. Wiem, że to prawda, bo ciągle i ciągle to widzę. Ja patrzę, mama słucha, trzymając małego na biodrze. Senhor nie płaci wszystkiego, co jest winny panu. Pan mówi, że w zamian weźmie kobietę i dziewczynę, bez chłopca, i długu nie będzie. Minha mãe błaga, nie. Nadal karmi malca piersią. Weź dziewczynę, mówi, moją córkę. Mnie. Mnie. Pan zgadza się i zmienia saldo zobowiązań. Gdy liście tytoniu są powieszone i schną, wielebny ojciec zabiera mnie promem, potem keczem, potem łodzią i upycha między swoimi skrzynkami pełnymi książek i jedzenia. Drugiego dnia robi się przejmująco zimno, cieszę się, że mam opończę, choć jest cienka. Wielebny ojciec tłumaczy się, że będzie gdzieś indziej na łodzi, i każe mi nie ruszać się z miejsca. Jakaś kobieta podchodzi do mnie i mówi wstań. Wstaję, a wtedy zdejmuje mi z ramion opończę. Potem zabiera moje drewniane chodaki. Odchodzi. Wielebny ojciec różowieje na twarzy, gdy po powrocie dowiaduje się o tym. Biega dokoła, pytając kto i gdzie, ale nic nie może się dowiedzieć. W końcu bierze szmaty, walające się kawałki płótna żaglowego, i owija mi stopy. Teraz już wiem, że tu, inaczej niż u senhora, księży się nie kocha. Marynarz spluwa w morze, gdy wielebny ojciec prosi go o pomoc. Wielebny ojciec jest jedynym życzliwym człowiekiem, jakiego znam. Po przyjeździe tu sądzę, że przed takim właśnie miejscem mnie przestrzega. Przed zamarznięciem w piekle, po którym przychodzi wieczny ogień, gdzie grzesznicy gotują się i przypiekają po wsze czasy. Ale najpierw jest ziąb, mówi. Gdy widzę noże lodu zwisające z domów i drzew i czuję, jak białe powietrze parzy mnie w twarz, jestem przekonana, że zbliża się ogień. Wtedy Lina uśmiecha się na mój widok i owija mnie, żebym miała ciepło. Pani odwraca wzrok. Żałość też nie jest zadowolona, widząc mnie. Macha ręką przed nosem, jakby odganiała pszczoły. Jest bardzo dziwna, a Lina mówi, że dziewczyna znowu spodziewa się dziecka. Ojciec wciąż nieznany, Żałość nie wyjawia. Will i Scully zaprzeczają ze śmiechem. Lina uważa, że to pana. Mówi, że ma powody tak sądzić. Gdy pytam jakie powody, mówi bo on jest mężczyzną. Pani się nie odzywa. Ja też. Ale się martwię. Nie dlatego, że mamy więcej pracy, ale dlatego, że boję się matek, które karmią żarłoczne niemowlęta. Wiem, jak wyglądają oczy matek, gdy dokonują wyboru. Jak podnoszą je i patrzą na mnie surowo, mówiąc coś, czego nie słyszę. Mówiąc coś ważnego dla mnie, ale trzymając za rękę malca.

Mężczyzna przebrnął przez spienioną wodę na płyciźnie i ostrożnie stąpając po kamykach i po piasku, wyszedł na brzeg. Z powodu mgły, Atlantyku i smrodu roślinności, spowijających zatokę, posuwał się wolno. Widział bryzgi spod butów z cholewkami, ale nie sakwę na ramieniu ani własne ręce. Gdy zostawił za sobą rozbijające się o brzeg fale i podeszwy butów zaczęły zapadać się w błocie, odwrócił się, żeby pomachać załodze slupa, ale maszt zniknął we mgle i nie wiadomo było, czy marynarze nadal stoją na kotwicy, czy zaryzykowali dalszą podróż, trzymając się blisko wybrzeża i kierując w stronę przystani i portów. W odróżnieniu od angielskich mgieł, które znał od dnia, gdy nauczył się chodzić, czy tych dalej na północ, gdzie teraz mieszkał, tutejsza była rozpalona słońcem, przemieniała świat w gęste, gorące złoto. Przedzieranie się przez nią sprawiało trudność, jakby działo się we śnie. Gdy w miejsce błota pojawiła się bagienna trawa, mężczyzna skręcił w lewo, stąpając ostrożnie, aż potknął się o chodnik z desek prowadzący od plaży do wioski. Prócz jego oddechu i odgłosu kroków żaden dźwięk nie niósł się po świecie. Dopiero gdy mężczyzna doszedł do wiecznie zielonych dębów, mgła przerzedziła się i rozwiała. Wtedy przyspieszył, bardziej panując nad otoczeniem, ale odczuwając zarazem brak oślepiającej złocistości, którą pozostawił za sobą.

Poruszając się coraz śmielej, dotarł do walącej się wioski uśpionej między dwiema ogromnymi nadrzecznymi plantacjami. Tam udało mu się przekonać stajennego, żeby zamiast zadatku przyjął od niego kwit z nazwiskiem: Jacob Vaark. Siodło wykonano marnie, ale klacz Regina była dorodna. Na koniu poczuł się lepiej i pojechał niefrasobliwie, może trochę za szybko, wzdłuż wybrzeża, aż znalazł się na starym szlaku Indian Lenape. Tu należało zachować ostrożność, więc powściągnął konia. Na tym terenie nie mógł być pewny ani przyjaciela, ani wroga. Przed sześcioma laty armia Murzynów, Indian, białych i Mulatów — wyzwoleńców, niewolników i parobków spłacających pracą długi — wydała wojnę miejscowej szlachcie, poprowadzona przez członków właśnie tej klasy. Gdy nadzieje na powodzenie „ludowej wojny" przeciął kat, w jej wyniku — prócz masakry stawiających opór Indian i wygnania plemienia Carolina z ich ziemi — namnożyło się nowych zarządzeń sankcjonujących chaos w obronie porządku. Poprzez odebranie wyłącznie czarnoskórym możliwości wyzwolenia, gromadzenia się, podróżowania i noszenia broni, poprzez zezwolenie każdemu białemu na zabicie czarnego z dowolnego powodu, poprzez przyznawanie właścicielom odszkodowań za kalectwo lub śmierć niewolnika prawo zabezpieczyło białych i oddzieliło ich na zawsze od reszty ludności. Pojednawcze stosunki między szlachcicami i parobkami, budowane przed buntem i w czasie jego trwania, zostały zburzone w interesie żądnej zysków szlachty. Zdaniem Jacoba Vaarka takie zarządzenia były bezprawiem, podsycały okrucieństwo, zamiast służyć wspólnej sprawie, jeśli nie powszechnej cnocie.

Krótko mówiąc, był rok tysiąc sześćset osiemdziesiąty drugi i w Wirginii wciąż panował bałagan. Któż zdołałby śledzić przebieg zaciętych bitew w imię Boga, króla i ziemi? Choć Jacob nie obawiał się zbytnio o własną skórę, wiedział, ile rozwagi wymaga podróżowanie w pojedynkę. Zdarzało się, że po wielogodzinnej jeździe, gdy nie towarzyszył mu nikt prócz gęsi lecących nad szlakami wodnymi wewnątrz lądu, nagle wyłaniał się zza zwalonych drzew jakiś dezerter z pistoletem albo zbiegła rodzina kuliła się w dole, albo zaczajał się uzbrojony złoczyńca. Jacob miał przy sobie rozmaite sztuki monet i tylko jeden nóż, więc był łakomym kąskiem. Chcąc jak najszybciej opuścić tę kolonię i znaleźć się w mniej niebezpiecznej, choć budzącej większą odrazę w jego prywatnym odczuciu, zmusił klacz do szybszego biegu. Zsiadał dwukrotnie, za drugim razem, żeby oswobodzić młodego szopa, którego tylna łapa tkwiła zakrwawiona w rozpęknięciu drzewa. Regina skubała trawę przy drodze, a on starał się postępować jak najdelikatniej, chroniąc się przed pazurami i zębami wystraszonego stworzenia. Gdy mu się udało, szop uciekł, kuśtykając, być może do matki zmuszonej go porzucić albo, co więcej prawdopodobne, w szpony innego zwierza.

Jacob pogalopował dalej, tak zlany potem, że szczypały go oczy od soli i zmatowiały opadające na ramiona włosy. Nadszedł już październik, Regina parskała cała mokra. Tu w ogóle nie ma zimy, pomyślał, pogoda jak na Barbadosie, dokąd rozważał kiedyś możliwość wyjazdu, choć podobno skwar panował tam jeszcze bardziej zabójczy. Było to dawno temu, a decyzja straciła ważność, zanim podjął jakiekolwiek działania. Zmarł nigdy niewidziany wuj ze strony rodziny, która porzuciła Jacoba, i zostawił mu nieużytkowaną ziemię będącą w jego posiadaniu na mocy patronatu, sto dwadzieścia akrów w Nowych Niderlandach, gdzie panował bardziej odpowiadający Jacobowi klimat. Z czterema odrębnymi porami roku. Tutejsza mgła, skwar i obfitość komarów nie zepsuły mu jednak humoru. Mimo długiej żeglugi trzema statkami po trzech różnych wodach, a teraz męczącej jazdy szlakiem Indian Lenape czerpał radość z tej podróży. Chłonięcie tak nowego świata, niemal zatrważającego surowością i ponętnością, ani przez chwilę nie przestawało dodawać mu animuszu. Gdy znalazł się poza ciepłą złocistością zatoki, zobaczył lasy nienaruszone od czasów Noego, wybrzeża tak piękne, że łzy napływały do oczu, dziczyznę na każde życzenie. Kłamstwa, jakie rozpowszechniała Kompania Zachodnioindyjska na temat łatwych zysków czekających na przybyszów, nie zaskoczyły go ani nie zniechęciły. W istocie lubił trudy i przygodę. Przez całe życie na przemian stawiał czemuś czoło, podejmował ryzyko i łagodził sytuację. Aż stał się tym, kim był teraz, z nędznego sieroty właścicielem ziemskim, zrobił coś z niczego, zastał surowe życie i stworzył umiarkowane. Rozkoszował się tym, że nie wie, co spotka na swojej drodze, kto się pojawi i z jakimi zamiarami. Miał bystry umysł, więc przepełniało go zadowolenie, gdy z jakichś kłopotów, dużych czy małych, trzeba było wybrnąć szybko i pomysłowo. Kołysząc się na marnym siodle, patrzył przed siebie i wodził wzrokiem po okolicy. Dobrze znał ten krajobraz jeszcze sprzed lat, gdy wciąż była tu Nowa Szwecja, i później, gdy sprawował funkcję urzędnika Kompanii. I jeszcze później, gdy Holendrzy przejęli władzę. W czasie walk i potem nie warto było upewniać się, kto rości sobie pretensje do tego czy tamtego terenu, tej czy tamtej placówki. Choć cała ta ziemia należała do jakichś Indian, każdy obszar mógł z roku na rok albo stać się obiektem roszczeń Kościoła, albo znaleźć się pod kontrolą Kompanii, albo przejść na własność prywatną, przekazany przez członka rodziny królewskiej w darze synowi czy faworytowi. Ponieważ roszczenia do ziemi ciągle się zmieniały, wyjąwszy zapisy na aktach kupna-sprzedaży, Jacob nie zwracał większej uwagi na stare czy nowe nazwy miast lub fortów: Fort Orange, przylądek Henry, Nieuw Amsterdam, Wiltwyck. Zgodnie z własną geografią przemieszczał się z terytorium Algonkinów do Sesquehanna przez Chesapeake i dalej przez tereny Indian Lenape, żółwie żyją bowiem dłużej niż miasta. Gdy dopłynął South River do zatoki Chesapeake, wysiadł, znalazł wioskę i dalej pokonywał konno szlaki Indian, bacząc na ich pola kukurydzy, przejeżdżając ostrożnie przez tereny łowieckie, uprzejmie prosząc o pozwolenie na wejście do małej wioski w jednym miejscu, do większej w drugim. Przy pewnym strumieniu zatrzymał się, by napoić konia, i ominął niebezpieczne bagna podchodzące pod sosny. Rozpoznawał nachylenie niektórych wzgórz, kępę dębów, opuszczoną norę, nagłą woń żywicy — wszystkie te spostrzeżenia były więcej niż cenne, wprost niezbędne. W takim niepewnym terenie Jacob po prostu wiedział, że gdy wyjedzie z tego sosnowego lasu, okrążając mokradła, znajdzie się wreszcie w Marylandzie, który w chwili obecnej należy do króla. W całości.

Po przybyciu do tego prywatnego kraju zaczęły ścierać się w nim uczucia, których walka nie przyniosła rozstrzygnięcia. W przeciwieństwie do kolonii leżących na północ i na południe wzdłuż wybrzeża — o które toczono spory i boje, które regularnie przemianowywano, które mogły handlować tylko z narodem zwycięskim — w prowincji Maryland zezwalano na wysyłanie towarów na rynki zagraniczne. Cieszyli się z tego plantatorzy, jeszcze bardziej kupcy, a najbardziej pośrednicy. Ale palatynat był na wskroś katolicki. Księża kroczyli otwarcie przez miasta; kościoły stawały się zmorą placów; złowrogie misje lokowały się na skraju indiańskich wiosek. Prawo, sądy i handel były wyłączną domeną misji. Wystrojone kobiety w trzewikach na obcasach jeździły wozami powożonymi przez dziesięcioletnich Murzynów. Jacoba raziła wyzywająca, pozbawiona zasad moralnych przebiegłość papistów. „Brzydźcie się Rzymem, istną wszetecznicą". Cała klasa mieszkających w przytułku dzieci znała na pamięć te zdania z elementarza. „Oraz wszelkimi jej bluźnierstwami / Nie pijcie z jej przeklętego kielicha / Nie przestrzegajcie jej nakazów". Nie znaczy to, że nie można było prowadzić z nimi interesów. Jacob przelicytował ich niejednokrotnie, zwłaszcza tu, gdzie tytoń i niewolnicy byli ze sobą pożenieni i jedna waluta kurczowo trzymała się drugiej. Zadane razy czy nagła choroba powodowały ruinę obu, przysparzając kłopotu wszystkim prócz pożyczkodawcy.

Wzgardę, choć trudno ją ukryć, należało pohamować. Poprzednio prowadził interesy z tym majątkiem za pośrednictwem oficjalisty, gdy siedzieli na zydlach w szynku. Teraz z jakichś powodów został zaproszony, a raczej wezwany, do domu plantatora — do posiadłości zwanej Jublio. Kupiec podejmowany obiadem przez szlachcica? W niedzielę? Szykują się kłopoty, pomyślał. Tłukąc komary i wypatrując węży błotnych, które mogłyby przestraszyć konia, dostrzegł wreszcie szeroką żelazną bramę Jublio i wprowadził Reginę na teren posiadłości. Słyszał, że jest okazała, ale widok, który rozpościerał się przed jego oczami, przeszedł wszelkie oczekiwania. Dom z kamienia miodowej barwy w istocie wyglądał jak siedziba sądu. Daleko po prawej stronie, za żelaznym ogrodzeniem majątku, dojrzał we mgle rzędy kwater, cichych, pustych. Pewnie na polach, uznał, próbując oszacować straty plonów na skutek pluchy. Osnuwający włości zapach liści tytoniu, kojący jak balsam, przywodził na myśl otwarty ogień i zacne kobiety podające piwo. Droga zawiodła go na wyłożony cegłami dziedziniec zapowiadający dumne wejście na werandę. Jacob zatrzymał się. Gdy pojawił się chłopiec, trochę sztywno zsiadł z konia i podając wodze, rzekł ostrzegawczo:

— Tylko woda. Żadnego jedzenia.

— Tak, wielmożny panie — powiedział chłopiec. Ujął wodze, mamrocząc: — Dobra klaczka. Dobra klaczka — i odprowadził konia.

Jacob Vaark wszedł po trzech stopniach ceglanych schodów i zaraz zawrócił, by ocenić dom z pewnej odległości. Po obu stronach drzwi znajdowało się szerokie okno z co najmniej dwoma tuzinami szybek, a na rozległym piętrze następnych pięć, w których odbijało się migocące nad mgłą słońce. Nigdy dotąd nie widział takiego domu. Najzamożniejsi ludzie, jakich znał, używali drewna, a nie cegły, szalując ściany łupanymi deskami i nie odczuwając potrzeby stawiania okazałych kolumn pasujących do gmachu parlamentu. Imponujący, pomyślał, ale łatwy, naprawdę łatwy do postawienia w tym klimacie. Miękkie drewno z południa, kremowy kamień, nie potrzeba uszczelniać, wszystko zrobione z myślą o wietrze, a nie o mrozie. Długa sala jadalna, najprawdopodobniej, salony, komnaty... lekka praca, lekkie życie, ale dobry Boże, ten upał.

Zdjął kapelusz i rękawem otarł pot nad czołem. Następnie, dotknąwszy palcami mokrego kołnierza, znów wszedł na schody, po czym wypróbował skrobaczkę do butów. Zanim zdążył zapukać, drzwi otworzył niski mężczyzna pełen sprzeczności — stary i zarazem wiecznie młody, okazujący szacunek i zarazem kpiący, włosy białe, twarz czarna.

— Dzień dobry, wielmożny panie.

— Pan Ortega mnie oczekuje — odezwał się Jacob, rzucając okiem nad głową starca i przyglądając się pomieszczeniu.

— Tak, proszę pana. Kapelusz wielmożnego pana? Senhor D'Ortega oczekuje pana. Dziękuję, wielmożny panie. Proszę tędy, wielmożny panie.

Rozległy się kroki, głośne i agresywne, i zaraz wołanie D'Ortegi:

— W samą porę! Chodź, Jacobie, chodź.

Gospodarz zaprosił gościa ruchem ręki do salonu.

— Dzień dobry, panie. Dziękuję — powiedział Jacob.

Ze zdumieniem spoglądał na kaftan pana domu, pończochy, wymyślną perukę. Ten wyszukany strój z pewnością był krępujący w taki upał, ale skóra D'Ortegi pozostawała sucha jak pergamin, natomiast

Jacob nie przestawał się pocić. Chustka, którą wyciągnął z kieszeni, swym wyglądem wprawiła go w zażenowanie równie dotkliwe jak potrzeba jej użycia.

Usadowiony przy małym stoliku w otoczeniu bałwochwalczych wizerunków, w pokoju, gdzie zamknięte okna chroniły przed ukropem, Jacob popijał piwo sasafrasowe, potwierdzając uwagi gospodarza o pogodzie i zbywając jego przeprosiny za to, że w takich warunkach zmuszony był przebyć tę długą drogę. Powiedziawszy, co należało, D'Ortega szybko przeszedł do interesów. Stało się nieszczęście. Jacob już o tym wiedział, ale słuchał uprzejmie i z odrobiną współczucia wersji wydarzeń podawanej przez tego oto klienta/dłużnika. Statek D'Ortegi stał przez miesiąc na kotwicy w odległości mili morskiej od brzegu, czekając na statek, który miał przypłynąć lada dzień i uzupełnić straty. Jedna trzecia ładunku zmarła na tyfus. Został ukarany przez sędziego na służbie u lorda właściciela grzywną w wysokości pięciu tysięcy funtów tytoniu za wyrzucenie zwłok do morza zbyt blisko zatoki; zmuszono go do zebrania ciał — tych, które dało się odnaleźć (za pomocą pik i sieci, wtrącił D'Ortega, sam ich zakup kosztował dwa funty i sześć szylingów) — i kazano mu spalić je albo zakopać. Musiał je złożyć na dwóch platformach (sześć szylingów), a następnie przewieźć na nisko położony teren, gdzie łoboda i aligatory dokonały dzieła.

Czy on wycofuje się w porę i posyła statek na Barbados? Nie, pomyślał Jacob. Ten partacz trwa z uporem w błędzie jak wszyscy wyznania rzymskokatolickiego, przez następny miesiąc czeka w porcie na statek widmo z Lizbony, który wiezie dostatecznie duży ładunek, by dało się uzupełnić straty w ludziach. Zanim ładownia zostanie wypełniona po brzegi, statek tonie, a on traci nie tylko statek, nie tylko jedną trzecią ładunku na wstępie, ale wszystko prócz załogi, która oczywiście nie była skuta łańcuchami, i czterech nienadających się do sprzedaży Angolczyków o przekrwionych z gniewu oczach. A teraz ten człowiek chciał wziąć większy kredyt i przedłużyć spłatę długu o pół roku.

Obiad był nużący, stawał się nie do zniesienia z powodu zażenowania, jakie odczuwał Jacob. Jego surowy ubiór ostro kontrastował z wyszywanym jedwabiem i koronkowym kołnierzem. Zazwyczaj zręczne palce trzymały sztućce niezdarnie. Na rękach nawet pozostał ślad krwi szopa. Kiełkujące niezadowolenie rozkwitło. Po co tyle zachodu w senne popołudnie dla jednego gościa o znacznie niższym statusie? Umyślnie, uznał; ten teatr ma tak go upokorzyć, by uniżenie zastosował się do życzeń D'Ortegi. Posiłek rozpoczął się od modlitwy wypowiedzianej szeptem w języku, którego nie mógł rozszyfrować, poprzedzonej i zakończonej powolnie wykonanym znakiem krzyża. Wiedząc, że ma brudne ręce i przyklapnięte od potu włosy, Jacob zdusił w sobie rozdrażnienie i postanowił skupić się na jedzeniu. Dotkliwe uczucie głodu zelżało, gdy podano mocno przyprawione dania: wszystko prócz pikli i rzodkiewek było smażone lub rozgotowane. Wino, rozwodnione i za słodkie jak na jego podniebienie, rozczarowało go, a towarzystwo okazało się jeszcze gorsze. Synowie milczeli jak grób. Żona D'Ortegi paplała jak sroka, zadawała bezsensowne pytania: „Jak można przeżyć w śniegu?", rzucała przeczące rozsądkowi uwagi, jak gdyby jej ocena sytuacji politycznej dorównywała męskiej ocenie. Może sprawiał to sposób wymawiania słów, może nikła znajomość języka angielskiego, ale Jacob odnosił wrażenie, że z tej rozmowy nie wynikało nic, co miałoby oparcie w rzeczywistym świecie. Oboje mówili o tym, jak poważną sprawą, jak wyjątkową odpowiedzialnością jest życie w tym nieujarzmionym świecie, o nierozerwalnym związku ciążących na nich powinności z wykonywaniem dzieła Bożego i o trudnościach, jakie znoszą w Jego imię. Opiekowanie się chorymi czy krnąbrnymi parobkami wystarczyło, by dostąpić kanonizacji, tak twierdzili.

— Często chorują, pani? — zapytał Jacob.

— Nie tak często, jak udają — odrzekła pani domu. — Łajdacy z nich. W Portugalii nie uchodzą im takie sztuczki.

— Oni wywodzą się z Portugalii? — Zastanawiał się, czy usługująca kobieta mówi po angielsku, a może oni wymyślają jej tylko po portugalsku.

— Angola należy przecież do Portugalii — powiedział D'Ortega. — To niezwykle przyjemny i piękny kraj.

— Portugalia?

— Angola. Natomiast Portugalia oczywiście nie ma sobie równych.

— Jesteśmy tam od czterech lat — dodała pani D'Ortega.

— W Portugalii?

— W Angoli. Ale proszę zauważyć, nasze dzieci tam się nie urodziły.

— W Portugalii, jak rozumiem?

— Nie, w Marylandzie.

— Aha. W Anglii.

Okazało się, że D'Ortega jest trzecim synem hodowcy bydła, bez szans na spadek. Udał się do Angoli będącej portugalską rezerwą siły niewolniczej, żeby zarządzać transportami do Brazylii, ale dostrzegł możliwości szybszego i większego wzbogacenia się w odleglejszych stronach. Awans wynikający z zaganiania bydła innego rodzaju był prędki i niezwykle dochodowy. Przez jakiś czas, pomyślał Jacob. D'Ortega najwyraźniej nie wykorzystywał z powodzeniem dość niedawno osiągniętej pozycji, lecz był pewny, że jakoś postawi na swoim, czego miało dowieść to zaproszenie na obiad.

Mieli sześcioro dzieci, wśród nich dwóch chłopców na tyle dużych, że mogli zasiąść do stołu. Niewzruszeni jak kamień, w wieku trzynastu i czternastu lat, w perukach niczym ojcowska, jakby znajdowali się na balu albo na posiedzeniu sądu. Moja gorycz jest niegodziwością, uprzytomnił sobie Jacob, spowodowaną brakiem spadkobierców — w linii męskiej czy żeńskiej. Gdy córka Patrician poszła śladem zmarłych braci, nie pozostał nikt, kto przejąłby skromne, choć godne szacunku dziedzictwo, jakie pragnął zgromadzić. Dusząc więc zawiść, jak uczono go w przytułku, Jacob dla uprzyjemnienia sobie czasu wyciągał niczym z kapelusza niedostatki w życiu małżeńskim tej pary. Wyglądało, że pasują do siebie: próżni, lubujący się w luksusach, bardziej dumni ze swoich cynowych i porcelanowych naczyń niż z synów. Aż nadto wyraźnie było widać, dlaczego D'Ortega tkwi w długach. Człowiek, który przeznacza zyski na bezużyteczne błyskotki i pali świece w środku dnia, którego nie żenuje przepych, jedwabne pończochy i wystrojona żona, nigdy nie wyjdzie cało z opałów, czy będzie to stracony statek, czy zniszczone plony. Obserwując małżonków, Jacob zauważył, że ani razu nie spojrzeli na siebie, czasem tylko, gdy jedno z nich odwróciło głowę, drugie zerkało skrycie na tamtego. Nie wiedział, co oznaczają te ukradkowe spojrzenia, ale bawiło go domyślanie się najgorszego w sytuacji, gdy musiał znosić durne i niezrozumiałe rozmowy oraz dania nie do spożycia. Gospodarze nie uśmiechali się, lecz wykrzywiali szyderczo usta, nie śmiali się, lecz chichotali. Jacob mógł sobie wyobrazić, że zachowywali się podle wobec służących i służalczo wobec księży. Początkowe skrępowanie na myśl o nieuniknionych skutkach długiej podróży — zabłoconych butach, ubrudzonych rękach, strugach potu i jego wyczuwalnym zapachu — nieco ustąpiło, gdy poczuł ostre perfumy pani D'Ortegi i zobaczył jej mocno upudrowaną twarz. Odprężenie, aczkolwiek mało znaczące, odczuwał tylko wtedy, gdy pachnąca goździkami kobieta wnosiła jedzenie.

Jego Rebekka wydawała mu się jeszcze zacniejsza w tych rzadkich sytuacjach, kiedy przebywał w towarzystwie żon takich bogaczy, kobiet, które codziennie wkładały inną suknię, a służbę ubierały w płótno workowe. Od chwili gdy ujrzał, jak jego przyszła żona schodzi po trapie, dźwigając posłanie, dwie skrzynki i ciężką sakwę przewieszoną przez ramię, wiedział, że dopisało mu szczęście. Był gotów przyjąć chudzinę albo brzydulę — w istocie spodziewał się takiej panny, gdyż co ładniejsze miałyby wiele propozycji zamążpójścia na miejscu. Młoda kobieta w tłumie, która odpowiedziała na jego zawołanie, była jednak pulchna, urodziwa i sprawna. Warta każdego dnia długich poszukiwań, koniecznych, ponieważ przejęcie patronatu wymagało posiadania żony, poza tym chciał mieć towarzyszkę określonego pokroju — nienależącą do żadnego Kościoła, w wieku rozrodczym, posłuszną, ale nie uniżoną, piśmienną, ale nie wyniosłą, niezależną, a przy tym opiekuńczą. Nie zgodziłby się na zrzędę. Potwierdziły się doniesienia pierwszego oficera: Rebekka była idealną kandydatką. Nie miała w sobie ani krzty jędzowatości. Nigdy nie podniosła głosu w gniewie. Dbała o jego potrzeby, robiła mięciutkie kluski, w kraju zupełnie sobie nieznanym wykonywała ciężkie prace domowe z entuzjazmem i pomysłowością, wesoła niczym drozd. A raczej taka była. Śmierć trójki dzieci jednego po drugim, potem śmiertelny wypadek Patrician, pięcioletniej córki, to zgasiło w niej tę iskierkę. Osiadł na niej jakiś niewidzialny popiół, którego nie mogło zmieść czuwanie przy małych grobach na łące. A mimo to ani nie narzekała, ani nie uchylała się od obowiązków. Przeciwnie, rzucała się w wir pracy na farmie z jeszcze większym zapałem, a gdy on po-dróżował w interesach, jak teraz, handlując, inkasując, pożyczając, wiedział ponad wszelką wątpliwość, że jego dom jest dobrze zarządzany. Rebekka i jej dwie pomocnice były niezawodne jak wschód słońca i nie-ugięte jak pal drewna. Poza tym małżonkom sprzyjał czas i dopisywało zdrowie. Jacob był przeświadczony, że Rebekka urodzi więcej dzieci i przynajmniej jedno, chłopiec, będzie się dobrze chowało.

Deser, mus jabłkowy i orzechy pekanowe, przyniósł zmianę na lepsze, a gdy Jacob, przyjąwszy zaproszenie nie do odrzucenia, udał się wraz z D'Ortegą na obchód posiadłości, nastrój poprawił mu się na tyle, że mógł ją szczerze podziwiać. Mgła się rozwiała, więc dobrze widział jakość włożonej pracy i dbałość o suszarnie tytoniu, wozy, beczki ciągnące się rzędami — upo-rządkowane i dobrze utrzymane — wędzarnię, mleczar-nię, pralnię, budynek kuchni. Prócz tej ostatniej wszyst-ko było otynkowane na biało, odrobinę mniejsze niż kwatery niewolników, ale w przeciwieństwie do kwater w doskonałym stanie. Sprawa będąca przedmiotem, celem tego spotkania nie została poruszona. D'Ortega opisał w najdrobniejszych szczegółach wypadki, na które nie miał wpływu, uniemożliwiające zwrot długu. Jak zamierza go spłacić, nie wspomniał. Gdy Jacob przyglądał się pokrytym plamami, zarażonym liściom tytoniu, uprzytomnił sobie, co D'Ortega zamierza mu zaoferować. Niewolników.

Nie zgodził się. Gospodarstwo posiadał skromne; interesy prowadził sam. Nie tylko nie miał ich gdzie umieścić, lecz również nie miał czym zająć.

— Niedorzeczne gadanie — powiedział D'Ortega. — Sprzedasz ich. Wiesz, jaką osiągają cenę?

Jacob skrzywił się. Nie handlował żywym towarem.

Ulegając jednak namowom gospodarza, powlókł się za nim w stronę niedużych bud, gdzie D'Ortega przerwał niewolnikom południowy odpoczynek i nakazał, by ze dwa tuziny albo i więcej stanęły w linii prostej, wśród nich również chłopiec, który napoił Reginę. Szli wzdłuż rzędu ludzi, dokonując przeglądu. D'Ortega wymieniał zdolności, słabości i możliwości, ale milczał na temat blizn, ran, które pokrywały ich skórę niczym żyły występujące w niewłaściwych miejscach. Jeden z nich nawet miał na twarzy piętno wypalane zgodnie z miejscowym prawem niewolnikowi, gdy zaatakuje białego człowieka powtórnie. Kobiety patrzyły niewzruszenie poza czas i miejsce, tak jakby w ogóle ich tu nie było. Mężczyźni wbili wzrok w ziemię. Tylko co jakiś czas, w miarę możliwości, jak dostrzegł Jacob, gdy sądzili, że akurat nie są szacowani, rzucali szybkie spojrzenia w bok, mając się na baczności, lecz przede wszystkim oceniając tych, którzy oceniali ich.

Nagle Jacob poczuł, jak wzbiera mu w żołądku. Zapach tytoniu, taki przyjemny zaraz po przybyciu tutaj, teraz go mdlił. A może ryż na słodko, kawałki prosiaka smażone i ociekające melasą, kakao, którym zachwycała się pani D'Ortega? Bez względu na to, co było powodem, nie mógł tak stać pośród gromady niewolników, których milczenie przywodziło na myśl lawinę widzianą z dużej odległości. Zupełna cisza, wiadomo tylko, że niesie się ryk, którego nie słychać. Wykręcił się, mówiąc, że ta propozycja jest nie do przyjęcia — za dużo kłopotów z transportem i urządzaniem aukcji; w handlu najbardziej lubił samotne i nieskrępowane działanie. Monety, listy poręczycielskie czy zrzeczenia się roszczeń można było nosić przy sobie. W jednej sakwie mieściło się wszystko, czego potrzebował. Zawrócili w kierunku domu i przeszli przez boczną bramę w bogato zdobionym ogrodzeniu, a D'Ortega cały czas perorował. Sam zajmie się sprzedażą. Funty? Hiszpańskie suwereny? Załatwi przewóz, wynajmie handlarza.

Czując, że jest mu niedobrze i zapach drażni jego nozdrza, Jacob burzył się ze złości. To katastrofa, pomyślał. Jeśli jej się nie zażegna, dojdzie do ciągnącego się latami procesu sądowego w prowincji, gdzie rządzą królewscy sędziowie, którzy nie będą skłonni okazać przychylności kupcowi z dalekich stron zamiast miejscowemu katolikowi szlachetnego urodzenia. Ta strata, choć zdoła ją sobie powetować, wydała mu się niewybaczalna. I to z przyczyny takiego człowieka. Wyniosły chód D'Ortegi podczas przechadzki po posiadłości wzbudzał w nim odrazę. Poza tym Jacob był przeświadczony, że zaciśnięte szczęki i opadające powieki maskują coś miękkiego, tak jakby ręce tego człowieka, przywykłe do wodzy, pejcza i koronek, nigdy nie pchały pługa ani nie ścinały drzewa. Było w nim coś wykraczającego poza katolickość, coś plugawego i przejrzałego. Ale co tu zrobić? Znalazłszy się w pozycji słabszego, Jacob odczuwał taki wstyd, jakby ubrudził się krwią. Nic dziwnego, że katolicy nie mogli zasiadać w parlamencie w starym kraju, i choć nie uważał, by trzeba było tępić ich jak robactwo, poza kontaktami handlowymi wolał nie utrzymywać znajomości ani nie spotykać się towarzysko z najniżej czy z najwyżej postawionymi spośród nich. Ledwie słuchając gadaniny D'Ortegi, słów przebiegłych i zawoalowanych, nie zaś szczerych i męskich, Jacob znalazł się nieopodal budynku kuchni i zobaczył stojącą w drzwiach kobietę z dwójką dzieci. Jedno na biodrze, drugie chowające się za jej spódnice. Sprawiała wrażenie dość zdrowej, lepiej odżywionej niż pozostali. Chcąc zamknąć usta D'Ortedze i mając niemal całkowitą pewność, że ten odmówi, powiedział ni z tego, ni z owego:

— Ta. O tam. Ją wezmę.

D'Ortega urwał, na jego twarzy odmalowało się zaskoczenie.

— To wykluczone. Żona się nie zgodzi. Nie może bez niej żyć. Ta kobieta jest naszą pierwszą kucharką, najlepszą.

Jacob podszedł do niej bliżej i czując zapach potu zalatującego goździkami, nabrał podejrzeń, że D'Ortega może stracić nie tylko dobre jedzenie.

— Powiedział pan: „kogokolwiek". Mogłem wybrać kogokolwiek. Jeśli pańskie słowo jest nic niewarte, pozostaje odwołać się do prawa.

D'Ortega uniósł brew, tylko jedną, jak gdyby na jej łuku opierało się imperium. Jacob wiedział, że tamten, choć wzburzony bezczelną pogróżką osoby niżej postawionej, uznał jednak, że lepiej nie odpowiadać obelgą na obelgę. Usilnie pragnął zakończyć całą sprawę szybko i postawić na swoim.

— Przecież jest tu wiele innych kobiet. Sam widzisz — powiedział. — Poza tym ta karmi piersią.

— W takim razie sąd — rzekł Jacob.

D'Ortega uśmiechnął się. Na pewno wygra proces i skorzysta na tym, że sprawa będzie się przeciągać.

— Zadziwiasz mnie.

Jacob nie zamierzał ustąpić.

— Być może inny pożyczkodawca będzie odpowiadał panu bardziej.

I wtedy zauważył z satysfakcją, że rozszerzyły się nozdrza gospodarza, a więc trafił w słaby punkt. D'Ortega słynął z niespłaconych długów i gdy już wyeksploatował przyjaciół, a miejscowi kredytodawcy nie chcieli się zgodzić na udzielanie pożyczek, które na pewno nie zostaną zwrócone, musiał szukać pośrednika daleko poza granicami Marylandu. Napięcie wzrosło.

— Wydaje mi się, że nie rozumiesz mojej propozycji. Nie unikam spłaty. Właśnie honoruję dług. Wartość zahartowanej niewolnicy wyrównuje go z nawiązką.

— Nie w sytuacji, gdy nie mogę jej wykorzystać.

— Nie możesz jej wykorzystać? To sprzedaj!

— Handluję towarami i złotem, wielmożny panie — rzekł Jacob Vaark, właściciel ziemski. Nie mógł się powstrzymać, by nie dodać: — Rozumiem jednak, jak trudno jest papiście znosić pewnego rodzaju ograniczenia.

Zbyt subtelne? — pomyślał. Okazało się, że nie, albowiem dłoń D'Ortegi spoczęła przy biodrze. Jacob śledził wzrokiem ten ruch, aż upierścienione palce zacisnęły się wokół pochwy. Ośmieliłby się? Czy ten zwarzony, arogancki fircyk ośmieliłby się napaść na swego wierzyciela, zamordować go, i twierdząc, że działał w obronie własnej, że korzystał ze swoich uprawnień, uwolniłby się od długu i zarazem odpowiedział na społeczną zniewagę, choć oznaczałoby to całkowitą katastrofę finansową, zważywszy, że jego skrzynie były równie puste jak jego pochwa? Delikatne palce bezskutecznie próbowały wymacać rękojeść. Jacob podniósł wzrok i spojrzał w oczy D'Ortedze, dostrzegając w nich tchórzostwo nieuzbrojonego szlachcica, który ma się zmierzyć z człowiekiem z ludu. Tu, na pustkowiu, polegającego na płatnych strażnikach, których w tę niedzielę nie było w zasięgu wzroku. Jacobowi zbierało się na śmiech. Gdzie jeszcze prócz tego zdezorganizowanego świata byłaby możliwa taka konfrontacja? Gdzie jeszcze wysoka pozycja nie wystarczyłaby, żeby nie drżeć w obliczu odwagi? Jacob odwrócił się plecami, odkrytymi, pozbawionymi zbroi, na znak lekceważenia. To była dziwna chwila. Przepełniony pogardą czuł jednocześnie, że ogarnia go radość. Potężna. Niezachwiana. W głębi duszy następowało przejście od ostrożnego negocjatora do nieokrzesanego chłopaka, który niegdyś szwendał się po miejskich i wiejskich traktach. Nawet nie próbował stłumić chichotu, gdy mijając budynek kuchni, ponownie zerknął na stojącą w drzwiach kobietę.

Akurat wtedy dziewczynka wyłoniła się zza pleców matki. Na nogach miała damskie trzewiki, o wiele za duże. Może uczucie swobody, świeżo odzyskana brawura oraz widok małych nóżek niczym dwa jeżynowe patyki, wyrastających ze znoszonych i spękanych butów — może właśnie to sprawiło, że parsknął śmiechem. Donośnym, rozpierającym pierś śmiechem na myśl o komedii, jaką była ta wizyta, o beznadziejnym poirytowaniu, jakie wywoływała. Nie przestawał się śmiać, gdy kobieta, kołysząc trzymanego na biodrze malutkiego chłopca, zrobiła krok w przód. W jej głosie, zniżonym niemal do szeptu, bez wątpienia brzmiał niepokój.

— Proszę, senhor. Nie mnie, ale ją. Proszę wziąć moją córkę.

Jacob przeniósł wzrok ze stóp dziecka na kobietę, nadal śmiejąc się z otwartymi ustami, i zaskoczyło go przerażenie w jej oczach. Śmiech zadrżał mu na ustach i ucichł. Kręcąc głową, Jacob pomyślał: Bóg świadkiem, jaki to ohydny interes.

— Ależ oczywiście — rzekł D'Ortega, otrząsając się z zakłopotania i starając się ponownie przyjąć godną postawę. — Wyślę ci ją. Natychmiast.

Oczy mu się rozszerzyły, podobnie jak usta w protekcjonalnym uśmiechu, choć nadal wydawał się bardzo wzburzony.

— Moja decyzja jest nieodwołalna — oświadczył Jacob, myśląc: muszę się uwolnić od tej namiastki człowieka.

Zarazem przyszło mu na myśl, że Rebekka być może z zadowoleniem przyjmie do domu dziecko. Tonąca w okropnych butach dziewczynka była chyba mniej więcej w wieku Patrician i gdyby tę małą kopnęła w głowę klacz, strata aż tak nie wstrząsnęłaby Rebekką.

— Mamy tu księdza — ciągnął D'Ortega. — Może ci ją przywieźć. Każę ich wsadzić na slup i dostarczyć do wybranego przez ciebie portu na wybrzeżu...

— Nie. Powiedziałem: nie.

Pachnąca goździkami kobieta raptem uklękła i zamknęła oczy.

Spisali nowe dokumenty. Ustalili, że dziewczynka jest warta dwadzieścia hiszpańskich talarów, zważywszy na liczbę lat, jakie jeszcze ma przed sobą, i zmniejszyli pozostałą sumę o trzy oksefty tytoniu, czyli równowartość piętnastu funtów angielskich, chętniej w gotówce. Napięcie opadło, co unaoczniał wyraz twarzy D'Ortegi. Pragnąc opuścić to miejsce i ponownie cieszyć się dobrym mniemaniem o sobie, Jacob naprędce pożegnał się z panią D'Ortegą, dwoma chłopcami i ich ojcem. Zmierzając w stronę wąskiego szlaku, obrócił Reginę, pomachał gospodarzom i znowu, wbrew sobie, objął zawistnym spojrzeniem dom, bramę i ogrodzenie. Po raz pierwszy nie kuglował, nie schlebiał, nie kombinował, lecz szedł łeb w łeb z bogatym szlachcicem. I uprzytomnił sobie, nie po raz pierwszy, że dzielą ich tylko rzeczy, a nie rodowody albo charaktery. Czy nie byłoby miło postawić takie ogrodzenie i otoczyć kamienie nagrobne na łące? I pewnego dnia, w nieodległej przyszłości, wybudować dom takich rozmiarów na własnych włościach? Na tym pagórku z tyłu, z lepszym widokiem na wzgórza i ciągnącą się między nimi dolinę? Nie tak wymyślny jak D'Ortegi. Pozbawiony tego pogańskiego nieumiarkowania, oczywiście, ale piękny. I czysty, nawet szlachetny, bo nie będzie skalany jak Jublio. Korzystanie z floty darmowych rąk do pracy umożliwiało D'Ortedze spokojne życie. Gdyby nie dopływ zniewolonych Angolczyków, nie tylko tkwiłby w długach; jadłby z własnej dłoni, a nie na porcelanie, i spał w afrykańskim buszu, a nie na łożu z baldachimem. Jacob szydził z zamożności opartej na schwytanej sile roboczej, którą trzeba było utrzymywać przy pomocy jeszcze większej siły. Współwyznawcy jego odłamu protestantyzmu, już nieliczni, wzdragali się na myśl o batach, łańcuchach i uzbrojonych nadzorcach. Postanowił udowodnić, że własną pracowitością zdobędzie majątek i pozycję, do których rościł sobie pretensje D'Ortega, i nie przehandluje swojego sumienia za mamonę.

Klepnął Reginę, każąc jej przyspieszyć. Słońce stało nisko, zrobiło się chłodniej. Chciał szybko wrócić do Wirginii, na wybrzeże, i dojechać do karczmy Purseya przed nocą, położyć się do łóżka, o ile nie zostaną upchnięci po trzech czy czterech. W przeciwnym razie dołączy do innych gości i zwinie się w kłębek gdziekolwiek bądź. Ale najpierw wypije kufel albo dwa piwa, którego wyraźna goryczka będzie nieodzowna, by zlikwidować słodkawą zgniliznę występku i zepsutego tytoniu jakby powlekającą mu język. Jacob oddał Reginę stajennemu, zapłacił należność i udał się w kierunku wybrzeża i karczmy Purseya. Po drodze zauważył mężczyznę, który okładał padającego na kolana konia. Zanim z ust Jacoba wydobył się okrzyk, rozhukani marynarze odciągnęli człowieka i dali mu poczuć, jak sam grzęźnie po kolana w błocie. Mało co złościło Jacoba bardziej niż okrutne traktowanie udomowionych zwierząt. Nie wiedział, czemu sprzeciwili się marynarze, natomiast w nim wezbrała wściekłość nie tylko z powodu cierpienia zadawanego koniowi, lecz również z powodu niemej, potulnej rezygnacji w oczach zwierzęcia.

W niedzielę karczma Purseya była zamknięta, o czym należało pamiętać, zaszedł więc do innej, otwartej codziennie. Prymitywna, wbrew prawu sprzedająca alkohol w niedzielę, nastawiona na twardych klientów, serwowała jednak dobre, sute jedzenie i nigdy nie dawała śmierdzącego mięsa. Gdy Jacob popijał drugie piwo, do izby weszli skrzypek i dudziarz, by przysporzyć gościom uciechy, a sobie pieniędzy, i choć gra na dudach brzmiałaby lepiej w jego własnym wykonaniu, podnieśli go na duchu na tyle, że przyłączył się do wspólnych śpiewów. Gdy przyszły dwie kobiety, mężczyźni zaczęli z pijackim rozbawieniem wykrzykiwać ich imiona. Ladacznice paradowały po izbie przez jakiś czas, zanim zdecydowały, na czyich kolanach usiąść. Jacob odmówił, gdy został zaczepiony. Dawno temu nasycił się domami publicznymi i spelunkami, które prowadziły żony przebywających na morzu marynarzy. Choć w Jublio wykazał się chłopięcą brawurą, nie oznaczało to, że odda się słodkiej rozpuście, jak to czynił w młodzieńczych latach.

Siedząc przy stole zawalonym resztkami wcześniej spożywanych potraw, Jacob przysłuchiwał się rozmowom, które prowadzono dokoła, przede wszystkim o cukrze, to znaczy o rumie. Rum osiągał wyższą cenę i był bardziej pożądanym towarem niż tytoń dostarczany w nadmiarze i przez to psujący rynek. Mężczyzna, który jak się zdawało, wiedział najwięcej o tym diabelskim napitku, prostocie jego wyrobu, horrendalnej cenie i dobroczynnym działaniu, rozprawiał z przekonaniem właściwym burmistrzowi.

Zachowanie tego krzepkiego człowieka o ospowatej twarzy pozwalało sądzić, że bywał w egzotycznych stronach, a jego oczy, że nie przywykł patrzeć na rzeczy z bliskiej odległości. Nazywał się Downes. Peter Downes. Dano znak murzyńskiemu chłopcu, który przyniósł sześć kufli, trzymając za ucha po trzy w każdej ręce, i postawił na blacie. Sięgnęło po nie pięciu mężczyzn i szybko upiło haust. Downes zrobił to samo, ale pierwszy łyk wypluł na podłogę, mówiąc towarzyszom, że w ten sposób składa ofiarę i zarazem chroni się przed otruciem.

— Jak to? — zapytał ktoś. — Trucizna może się czaić na dnie.

— Skądże znowu — sprzeciwił się Downes. — Trucizna, jak topielec, zawsze wypływa na wierzch.

Wśród śmiechów Jacob przysiadł się do ich stolika i słuchał Downesa, który zakończył swe hipnotyzujące opowieści wielce zabawnym opisem olbrzymich piersi, jakie mają kobiety na Barbadosie.

— Niegdyś zamierzałem tam osiąść — wtrącił Jacob. — Pomijając piersi, jak wygląda ta wyspa?

— Jak nierządnica. Jest dorodna i zabójcza.

— To znaczy?

Downes otarł usta rękawem.

— To znaczy, że wszystko dojrzewa obficie, prócz

życia. Tego brakuje i trwa krótko. Pół roku, półtora, i... — Pomachał ręką na do widzenia.

— Jak oni gospodarują? Tam chyba jest ciągłe zamieszanie — rzekł Jacob, wyobrażając sobie różnicę między stale kontrolowaną pracą w Jublio a bałaganem na plantacji trzciny cukrowej.

— Wcale nie. — Downes uśmiechnął się. — Przywożą statkami następnych. Jak drewno opałowe, spalone na popiół uzupełnia się nowym. No i nie należy zapominać o narodzinach. Tam jest pełno Mulatów, Kreoli, Metysów, mieszańców Indian z Murzynami, czarnych z żółtymi i innych krzyżówek.

Wyliczając typy, jakie wydaje Barbados, dotykał kciukiem kolejnych palców.

— Niemniej ponoszą duże ryzyko — sprzeciwił się Jacob. — Słyszałem, że choroba powala całe posiadłości. A jeśli siła robocza zacznie się kurczyć i transporty będą się zmniejszać?

— Dlaczego miałaby się skurczyć? — Downes rozłożył ręce, jakby niósł kadłub statku. — Afrykanie są zainteresowani sprzedażą niewolników Holendrom tak samo, jak angielski osadnik jest zainteresowany ich kupnem. Rządzi rum, bez względu na to, kto prowadzi handel. Prawo? Jakie prawo? Popatrz — ciągnął. — Massachusetts już usiłowało wprowadzić przepisy zabraniające sprzedaży rumu i nie zdołało zmniejszyć jej ani o kroplę. Dostawy melasy do północnych kolonii nigdy dotąd nie były tak duże. Przynoszą stałe zyski, większe niż futra, tytoń, drewno, wszystko inne — prócz złota, moim zdaniem. Dopóki podkłada się do ognia, kadzie bulgocą i rośnie stos pieniędzy. Diabelski napitek, cukier — tego nigdy nie nastarczysz. Interes na wiele pokoleń.

— Niemniej zajęcie jest niechlubne — zauważył Jacob. — I ciężkie.

— Spójrz na to tak. Handlarz futrami musi upolować zwierzę, zabić, oskórować, przewieźć towar i prawdopodobnie walczyć o prawa do niego z Indianami. Tytoń trzeba pielęgnować, zbierać, suszyć, pakować, transportować ciężki ładunek, przede wszystkim wymaga to czasu i ciągle nowej ziemi. A cukier? Rum? Trzcina rośnie. Nie da się jej powstrzymać; ziemia się nie wyjaławia. Cała praca polega na cięciu, gotowaniu i wysyłce. — Downes klasnął w dłonie.

— Prosta sprawa, tak?

— Właściwie tak. Rzecz w czym innym. Inwestycja nie przynosi strat. Żadnych. Nigdy. Zbiory zawsze udane. Żadnych wytrzebionych bobrów czy lisów. Wojny nie przeszkadzają. Plony obfite, wieczne. Niewolnicza siła robocza również. Kupcy chętni. Wyrób niebiański. W miesiąc potrzebny na odbycie podróży z cukrowni do Bostonu można pomnożyć pięćdziesiąt funtów pięciokrotnie. Warto się nad tym zastanowić. Miesiąc w miesiąc zainwestowana suma zwraca się pięciokrotnie. Na pewno.

Jacob musiał się roześmiać. Znał ten rodzaj zachowania: handlarz obwoźny stawał się pośrednikiem, rozwiewając wszelkie wątpliwości i zamykając wszelkie dyskusje obietnicami szybkiego zysku. Widząc ubranie Downesa i jak dotąd wyraźną niechęć do fundowania trunków, nabrał podejrzeń, że tamten nie zgarniał tak łatwych zysków, jak to opisywał.

Mimo to Jacob postanowił zbadać sprawę.

Gdy po spożyciu niespiesznego posiłku, który składał się z ostryg, cielęciny, gołębia, pasternaku i puddingu z łojem, zregenerowały mu się kubki smakowe, zapewnił sobie miejsce w łóżku, gdzie miał leżeć tylko jeden człowiek, a potem odbył przechadzkę na powietrzu, rozmyślając o mijającym dniu, w którym doznał zawodu i upokorzenia, przyjmując dziewczynkę jako spłatę części należności. Wiedział, że nie ujrzy ani ćwierci pensa więcej z sumy, jaką D'Ortega jest mu dłużny. Pewnego dnia — może rychło — ku powszechnemu zadowoleniu Stuartowie stracą tron i władza przejdzie w ręce protestanta. Wtedy proces przeciwko D'Ortedze zakończy się pomyślnie, rozważał, a on nie będzie zmuszony zadowalać się dzieckiem jako częścią tego, co mu się należy. Zdawał sobie sprawę, że pretekstem do zawarcia takiej umowy była myśl, że Rebekka chętnie przyjmie tę dziewczynkę, ale prawda leżała gdzie indziej. Od dziecięcych lat wiedział, że nie ma na tym świecie dobrego miejsca dla bezdomnych dzieciaków i młodzików, jeśli obcy ludzie nie okażą im szczodrobliwości. Nawet gdy są wymienione na towar, przekazane w obce ręce, oddane do terminu, sprzedane, zamienione, uwiedzione, głodzone, zmuszone do pracy za dach nad głową lub wykradzione, i tak ich niedola jest mniejsza u boku dorosłego człowieka. Nawet gdy dla swoich rodziców czy dla swego pana znaczą mniej niż mleczna krowa, bez dorosłego człowieka zapewne prędzej zamarzną na śmierć na kamiennych schodach, będą spływać kanałami, unosząc się twarzą w dół na powierzchni, albo fala wyrzuci je na brzeg lub na mieliznę. Nie zamierzał wzruszać się na myśl o własnym sieroctwie, o latach spędzonych z najrozmaitszymi dziećmi, gdy kradł jedzenie i żebrał o datki za wykonywanie drobnych zleceń. Jego matka, jak mu powiedziano, była nic nieznaczącą dziewczyną, umarła podczas połogu. Ojciec, który pochodził z Amsterdamu, zostawił go z nazwiskiem nadającym się do robienia kalamburów i wzbudzającym poważne podejrzenia. Wstyd, jakim Holendrzy okryli Anglików, czuło się wszędzie, zwłaszcza w okresie, gdy przebywał w przytułku, zanim szczęśliwym trafem przyjęto go na posłańca w biurze prawnym. Praca wymagała umiejętności czytania i pisania i w rezultacie został później zatrudniony w Kompanii Zachodnioindyjskiej. Otrzymanie w spadku ziemi złagodziło gorycz tego, że nie tylko urodził się pod złą gwiazdą, ale i wyrzekł się go ojciec. Mimo to nadal chwytała go żałość nad sierotami i włóczęgami, gdy przypominał sobie, jak mrowiły się nieszczęsne, tak jak niegdyś on sam z im podobnymi, na rynkach, na uliczkach, w zaułkach i portach, gdziekolwiek podróżował. Już raz trudno mu było odmówić, gdy odwołano się do niego, by przyszedł na ratunek niezakotwiczonemu, niechcianemu dziecku. Przed dziesięcioma laty tracz poprosił go o przejęcie opieki nad markotną dziewczynką o kręconych włosach, którą znalazł ledwie żywą na brzegu rzeki. Jacob zgodził się, o ile tamten daruje mu kupowane drewno. Wówczas, inaczej niż teraz, na farmie rzeczywiście przydałaby się jeszcze jedna para rąk. Rebekka chodziła wtedy w ciąży; synowie, których urodziła wcześniej, nie przeżyli. Gospodarstwo, obejmujące sześćdziesiąt akrów ziemi uprawnej ze stu dwudziestu akrów pierwotnie porośniętych lasem, znajdowało się jakieś siedem mil od osady założonej przez separatystów. Patronacka ziemia leżała nieużytkowana latami, a przez ten czas wielu Holendrów (prócz tych potężnych i zamożnych) opuściło okolicę albo zostało wygnanych. Teren nadal był odosobniony, pominąwszy obecność separatystów. Jacob szybko dowiedział się, że ci ludzie porzucili swych braci z powodu sporów na temat natury zbawienia: czy jest ono powszechne, czy dla wybranych. Sąsiedzi Jacoba opowiedzieli się za tą drugą ewentualnością i osiedli w głębi lądu poza zasięgiem faktorii i wojen. Gdy Jacob — drobny kupiec Kompanii handlujący na boku futrami i drewnem — otrzymał coś w rodzaju schedy, nie posiadał się z radości na myśl, że zostanie właścicielem ziemskim i niezależnym farmerem. Jeśli o to chodzi, nie zmienił zdania. Zrobił, co było trzeba: sprowadził sobie żonę, zapewnił jej pomoc, siał, budował, płodził dzieci... Po prostu dodał do tego życie kupieckie. W przeciwnym razie musiałby wieść osiadłe życie na roli i obcować z ludźmi, których religia wprawiała go w osłupienie, aczkolwiek z odległości siedmiu mil ich bluźnierstwa nie miałyby żadnego znaczenia. Jako właściciel ziemski udający się w podróże doskonale zdawał sobie sprawę, że pozostawianie parobków w gospodarstwie podczas jego długich wyjazdów świadczyłoby o braku roztropności. Częsta nieobecność pana była zachętą i pokusą — do ucieczki, do gwałtu, do kradzieży. Dwaj mężczyźni, z których pomocy korzystał od czasu do czasu, nie stanowili żadnego zagrożenia. Przebywając w odpowiednich warunkach, kobiety z natury swojej są godne zaufania. Taką samą pewność miał teraz co do tego dziecka w kiepskich butach, którego matka chciała się pozbyć, jak dziesięć lat temu co do tej kędzierzawej gęsiarki, którą nazywano Żałość. Zyskanie obu dziewczynek było poniekąd przyjściem im na ratunek. Tylko Linę bez dwóch zdań kupił z rozmysłem, ale ona była kobietą, nie dzieckiem.

Spacerując ciepłą nocą, zaszedł najdalej, jak mógł, aż światła szynku stały się kamieniami szlachetnymi w walce z ciemnością, a głosy hulaków zginęły w jedwabistym szumie fal. Niebo całkowicie puściło w niepamięć poranny żar i ustroiło się w suknię pokrytą chłodnymi gwiazdami, gładką i ciemną jak sierść Reginy. Spojrzał na świetliste plamki tu i ówdzie na wodzie, po czym schylił się i zanurzył ręce. Pod dłońmi przesuwał się piasek; dziecięce fale zamierały nad nadgarstkami, zalewając mu mankiety rękawów. Niebawem zmył się osad dnia, także nikły ślad krwi szopa. Gdy Jacob wracał do gospody, nic nie stało mu na drodze. Oczywiście wciąż było gorąco, ale nie przeszkadzała mu mgła, złota czy szara. Poza tym w jego głowie kształtował się plan. Jacob wiedział, jak niedoskonałym jest farmerem — w istocie nudziło go siedzenie na miejscu i rutyna codziennych zajęć — stwierdził, że bardziej odpowiada mu handel. Zaczął snuć myśli o bardziej satysfakcjonującym przedsięwzięciu.

To był złoty interes, jak łany trzciny cukrowej, która stanowiła jego podstawę. Co więcej, istniała zasadnicza różnica między zażyłością z masą niewolników w Jublio a oddalonymi parobkami na Barbadosie. Racja? Racja, pomyślał, spoglądając na pospolite, rozgwieżdżone niebo. Święta racja. Migoczące w górze srebro wcale nie było niedosięgłe. A ta śmietanka lejąca się obficie z gwiazd tylko czekała na smakosza.

Skwar nie zelżał, leżący obok mężczyzna ciągle wiercił się w łóżku, mimo to Jacob spał całkiem dobrze. Zapewne dlatego, że śnił o okazałym domu z wieloma pokojami, który stał na wzgórzu wyrastającym z mgły.

O d twojego wyjazdu bez pożegnania mija lato, potem jesień i z końcem zimy wraca choroba. Nie jak przedtem u Żałości, za to u pana. Tym razem pan wraca inny, jest niemrawy i trudno mu dogodzić. Traktuje panią szorstko. Poci się i ciągle chce cydru; nikt nie wierzy, że bąble są dawną chorobą Żałości. Pan wymiotuje w nocy i klnie za dnia. Potem nie ma siły ani na jedno, ani na drugie. Mówi nam, że do pomocy na farmie wybrał tych, także mnie, po odrze, więc dlaczego przytrafia się to jemu? Nie potrafi oprzeć się zawiści, widząc nas w dobrym zdrowiu, i jest przekonany, że w oszukańczy sposób zabiera mu się nowy dom. Daję słowo, że choć jeszcze nie jest skończony, twoje kowalstwo wygląda cudownie. Błyszczące kobry wciąż całują się u szczytu bramy. Dom jest wielki, czeka tylko na szklarza. Pan chce, żeby go tam zanieść, mimo że brak mebli. Mówi do pani raz-dwa, mniejsza o wiosenny deszcz, który leje od wielu dni. Choroba rzuca mu się na twarz i na głowę. Willa i Scully'ego nie ma, więc to my trzymamy każda za róg koca i niesiemy pana do domu, a on śpi z szeroko otwartymi ustami i w ogóle się nie budzi. Żadna z nas, nawet pani, nie wie, czy on ożywa choćby na minutę i czuje zapach nowej podłogi z drewna wiśniowego, na której leży. Jesteśmy same. Nikt inny prócz nas nie okryje pana całunem i nie odprawi po nim żałoby. Will i Scully zakradają się, żeby wykopać grób. Mają trzymać się z daleka. Sami tego chyba nie chcą. Pewnie ich pan tak im każe z powodu choroby. Diakon nie przychodzi, choć jest przyjacielem i lubi Żałość. Ani nikt ze zboru. Ale i tak nie wymawiamy głośno tego słowa, dopóki nie grzebiemy go przy jego dzieciach i pani nie zauważa dwóch u siebie w ustach. Wtedy raz jeden mówimy szeptem. Zaraza. Potem następnego ranka do dwóch na języku dochodzą dwadzieścia trzy na twarzy. Razem dwadzieścia pięć. Pani chce mieć cię tutaj, tak samo jak ja. Jej ma to uratować życie. Mnie ma to dać życie.

Pewnie w ogóle nie wiesz, że na twoich plecach widać wszystko, co mieści niebo: światło słońca, wschód księżyca. Tam odpoczywam. Moja ręka, oczy, usta. Gdy widzę cię pierwszy raz, rozdymasz ogień miechami. Po plecach spływa ci lśniąca struga, a ja jestem wstrząśnięta, że chcę je polizać. Uciekam do obory, żeby powstrzymać w sobie to coś. Nic tego nie powstrzymuje. Jesteś tylko ty. Nie ma nic prócz ciebie. To moje oczy są wygłodniałe, nie żołądek. Nigdy nie starczy czasu napatrzyć się na twoje ruchy. Twoja ręka unosi się, żeby kuć żelazo. Przyklękasz na kolano. Pochylasz się. Przerywasz, żeby zlać wodą żelazo, a potem gardło. Nim wiesz, że istnieję na tym świecie, już jestem przez ciebie zabita. Mam otwarte usta, nogi uginają się pode mną, serce wzbiera tak bardzo, że zaraz pęknie.

Gdy przychodzi noc, wykradam świecę. W rondlu niosę trochę żaru, żeby ją zapalić. Żeby lepiej ci się przyjrzeć. Płomień świecy osłaniam ręką. Patrzę, jak śpisz. Patrzę za długo. Jestem nieostrożna. Przypalam sobie dłoń. Wydaje mi się, że jeżeli się obudzisz i zobaczysz mnie, to umrę. Uciekam, nie mając wtedy pojęcia, że patrzysz na mnie, gdy patrzę na ciebie. I gdy nasze oczy w końcu się spotykają, nie umieram. Po raz pierwszy żyję.

Lina, która miota się jak świeżo złowiony łosoś, czeka ze mną w wiosce. Wóz braci Neyów nie przyjeżdża. Godzinami stoimy, a potem siedzimy przy drodze. Mija nas stado kóz, które pogania chłopiec z psem. Chłopiec unosi kapelusz. Pierwszy raz tak traktuje mnie mężczyzna. Podoba mi się. Myślę, że to dobry znak, ale Lina ostrzega mnie przed różnymi rzeczami, mówi, że jeśli nie jesteś u siebie, nie wolno mi zwlekać. Mam natychmiast wracać. Nie radzę sobie z koniem, zatem muszę się postarać, żeby następnego dnia zabrała mnie furmanka, co wiezie świeże mleko i jaja na targ. Przechodzą opodal jacyś ludzie, patrzą, ale nic nie mówią. Jesteśmy kobietami, więc się nie boją. Choć znają Linę, patrzą na nas jak na obcych. Czekamy dalej, tak długo, że zjadam przeznaczony na później chleb i dorsza. Nie zostawiam ani kawałka dorsza. Lina przykłada dłoń do czoła i opiera się łokciem o kolano. Z Liny promieniują złe przeczucia, wobec tego skupiam myśli na kapeluszu pastucha.

Wieje chłodny wiatr, przynosi zapach śniegu. Wreszcie zajeżdża wóz. Wdrapuję się na górę. Woźnica pomaga mi, długo i mocno podtrzymuje ręką siedzenie. Jestem zawstydzona. Jedzie nas siedmioro prócz braci Neyów; nie tylko konie są zaniepokojone płatkami śniegu wiosną. Potrząsają grzywami, drżą im zady. My też jesteśmy zdenerwowani, ale siedzimy spokojnie, śnieg pada i przykleja się do chust i kapeluszy, mamy ocukrzone rzęsy, wełniste brody mężczyzn są omączone. Dwie kobiety siedzą pod wiatr, który rozwiewa im włosy jak kitkę kukurydzy, wdziera się w lśniące szparki oczu. Inna zasłania usta opończą i opiera się o mężczyznę. Chłopiec z żółtawymi włosami zebranymi na karku siedzi na podłodze, ręce ma przywiązane do kostek. Tylko jego i moje stopy nie są okryte chodnikiem czy kocem.

Ładnie wygląda niespodziewany śnieg na delikatnych listkach. Może utrzyma się na ziemi dość długo i łatwo będzie tropić zwierzęta. Mężczyźni zawsze się cieszą ze śniegu, bo na nim najlepiej się poluje. Pan mówi, że nikt nie chodzi głodny śnieżną porą. Także wiosenną porą, ponieważ zanim pokażą się jagody i można jeść warzywa, w rzece jest pełno ikry, a w powietrzu ptaków. Ale ten śnieg się nie utrzyma, choć jest ciężki, mokry i gruby. Wsuwam stopy pod spódnicę, nie z zimna, tylko po to, żeby chronić list. Kurczowo ściskam zawinięty w ściereczkę chleb, który leży mi na kolanach.

Pani każe mi zapamiętać, jak do ciebie trafić. Rano mam wsiąść do wozu braci Neyów jadącego na północ drogą pocztową. Na pierwszy postój zatrzyma się przy karczmie i tuż po południu dojedzie do miejsca, które ona nazywa Hartkill — tam wysiadam. Idę w lewo, na zachód, szlakiem Indian Abenaki, który poznam po młodym drzewku zginającym się ku ziemi i wypuszczającym jeden pęd ku niebu. Ale Neyowie przyjeżdżają bardzo spóźnieni. Gdy wdrapuję się na wóz i siadam z tyłu za wszystkimi, jest już późne popołudnie. Nikt mnie nie pyta, dokąd zmierzam; po jakimś czasie zaczynają się ciche pogawędki o tym, kto gdzie kiedyś żyje. Nad morzem, mówią kobiety, przy czyszczeniu statków, mężczyźni przy uszczelnianiu statków i naprawianiu nabrzeża. Są pewni, że przez lata dług jest odpracowany, ale pan mówi nie. Wysyła ich dalej, na północ, w inne miejsce, do garbarni, na następne lata. Nie rozumiem, dlaczego są smutni. Każdy musi pracować. Pytam, czy zostawiają kogoś bliskiego. Wszyscy odwracają ku mnie głowy i przycicha wiatr. Głupia, mówi mężczyzna. Kobieta naprzeciwko mnie mówi, że młoda. Na jedno wychodzi, mówi mężczyzna. Inna kobieta mówi podniesionym głosem zostawcie ją. Za głośno. Spokój tam z tyłu, krzyczy woźnica. Ten, co mówi, że jestem głupia, pochyla się i drapie w kostkę, długo się drapie, a reszta pokasłuje i szoruje butami na znak, że nic sobie nie robi z polecenia woźnicy. Siedząca obok mnie kobieta mówi, że w garbarni nie ma trumien, tylko szybka śmierć w kwasie.

W karczmie, gdy zajeżdżamy, przydałyby się latarnie. Z początku w ogóle jej nie widzę, ale ktoś pokazuje palcem i zaraz robimy to wszyscy. Mrugające światło między drzewami. Neyowie wchodzą do środka. My czekamy. Wychodzą, żeby dać wodę koniom i nam, i ponownie wchodzą do karczmy. Znowu słychać szuranie. Spuszczam wzrok i widzę linę, która wije się od ich kostek na podłodze wozu. Śnieg już nie pada, słońca nie ma. Cicho, bardzo cicho szóstka zsuwa się na ziemię, mężczyźni łapią kobiety w ramiona. Chłopiec sam zeskakuje. Trzy kobiety kiwają na mnie. Serce podchodzi mi do gardła i również zeskakuję na dół. Wszyscy ruszają w tę stronę, skąd przyjeżdżamy, starają się sprawnie dokuśtykać pod osłonę przydrożnych drzew, gdzie jest mało śniegu. Nie idę za nimi. Nie mogę również zostać na wozie. Zamiast serca mam w piersi zimny kamień. I bez Liny wiem, że nie wolno mi przebywać samej z obcymi mężczyznami o pożądliwych rękach, gdy podchmieleni i rozzłoszczeni orientują się, że nie ma towaru. Przede mną szybki wybór. Wybieram ciebie. Wchodzę między drzewa i idę na zachód. Dla mnie liczy się tylko zachód. Ty. Twoje mówienie. Lekarstwo, które wiesz, że uzdrowi panią. Wysłuchasz, co mam do powiedzenia, i wrócisz ze mną. Tylko muszę iść na zachód. Jeden dzień? Dwie noce?

Idę między kasztanowcami przy drodze. Niektóre już pokazują listki i wstrzymują oddech do czasu, aż stopnieje śnieg. Z tych głupich spadają na ziemię pączki podobne do suchego grochu. Zmierzam na północ, gdzie młode drzewko zgina się ku ziemi i wypuszcza jeden pęd ku niebu. Potem na zachód do ciebie. Spieszę się, żeby nadrobić opóźnienie, zanim zrobi się ciemno. Teren gwałtownie opada i nie pozostaje mi nic innego, jak iść również w dół. Choć bardzo się staram, gubię drogę. Drzewa mają zbyt młode listki, żeby dawały schronienie, a dokoła leży grząski śnieg, więc buty ślizgają się i w zagłębieniach powstają kałuże. Niebo ma kolor porzeczki. Czy mogę iść dalej, zastanawiam się. Czy powinnam. Dwa zające zamierają i zmykają długimi susami. Nie wiem, jak to odczytać. Słyszę, jak płynie woda, i w ciemności kieruję się w tamtą stronę. Księżyc jest w nowiu. Wyciągam przed siebie rękę i posuwam się powoli, żeby się nie potknąć i nie upaść. Ale to nie woda tak szumi, tylko ociekają sosny, nie ma żadnego strumyka ani potoku. W zagłębienie dłoni nabieram trochę leżącego śniegu i połykam. Nie słyszę odgłosu łap ani nie majaczy mi żadne zwierzę. Przystaję, czując zapach mokrej sierści. Skoro ja czuję jego zapach, to i ono czuje mój, ponieważ w ściereczce nie mam nic, co wydaje jakąś woń, tylko chleb. Nie wiem, czy jest większe ode mnie, czy mniejsze ani czy jest samo. Postanawiam się nie ruszać. Nie słyszę, kiedy się oddala, ale zapach w końcu znika. Chyba lepiej wejść na drzewo. Stare sosny są bardzo duże. Każda daje dobre schronienie, choć powoduje zadrapania i strach. Gałęzie kołyszą się pode mną, ale nie łamią. Chowam się przed wszystkim, co pełza i człapie. Wiem, że nie najdzie mnie sen, bo jestem przejęta strachem. Gałęzie uginają się i trzeszczą. Mój plan na tę noc jest niedobry. Potrzebuję Liny, która umie znaleźć kryjówkę w dziczy.

L ina obojętnie przyjęła świąteczny nastrój i nerwowe zadowolenie wszystkich zaangażowanych, nie chciała wejść do środka ani nawet się zbliżyć. Trzeci i zapewne ostatni dom, który pan uparł się postawić, zniekształcał promienie słońca i wymagał uśmiercenia pięćdziesięciu drzew. A teraz pan, ponieważ w nim umarł, będzie wiecznie nawiedzał pokoje. Jego pierwszy dom — świeże drewno i klepisko — był słabszy niż ten pokryty korą, w którym ona się urodziła. Potem postawił mocniejszy. Zburzył pierwszy dom, żeby położyć drewniane podłogi w drugim, gdzie były cztery pokoje, przyzwoity kominek i okna z dobrymi, szczelnymi okiennicami. Nie potrzebował trzeciego. Mimo to, właśnie gdy zabrakło dzieci, które by w nim mieszkały albo go dziedziczyły, postanowił zbudować następny, większy, piętrowy, z ogrodzeniem i bramą, podobny do tych, które widział podczas podróży. Pani westchnęła wtedy i powiedziała Linie w zaufaniu, że pan, zajęty budową, przynajmniej będzie więcej przebywał na farmie.

— Przez handlowanie i podróżowanie napełnił sobie kieszenie — rzekła — ale dawniej, gdy się pobraliśmy, był zadowolony z pracy na roli. A teraz... — Umilkła i dalej skubała łabędzia.

Podczas budowy uśmiech nie schodził jednak pani z twarzy. Jak pozostali, Willard, Scully, wynajęci pomocnicy, dostawcy, była zadowolona i gotowała niczym w porze zbiorów. Głupia Żałość z ustami rozdziawionymi z zachwytu; kowal roześmiany; Florens bezmyślna niczym paproć na wietrze. A pan... nigdy nie widziała go w lepszym nastroju. Ani gdy rodzili się nieszczęśni synowie, ani gdy cieszył się z córki, ani nawet wtedy, gdy chwalił się szczególnym powodzeniem w interesach. Zmiana nie nastąpiła nagle, ale była głęboka. Przez ostatnich kilka lat miewał humory, brakowało mu łagodności, lecz gdy postanowił zabić drzewa i na ich miejscu postawić sobie samemu bluźnierczy pomnik, tryskał radością od rana do wieczora.

Skoro zabił tyle drzew bez pytania ich o zgodę, jego czyn musiał wzniecić nieszczęście. I stało się — kiedy dom był prawie skończony, pan zachorował, nie mając

nic innego na głowie. Pan wprawiał Linę w zdumienie.
Jak wszyscy Europi. Kiedyś napawali ją przerażeniem,
potem przyszli jej z pomocą. Teraz po prostu stanowili
dla niej zagadkę. Dlaczego pani posłała upośledzoną
z miłości dziewczynę po kowala? — zastanawiała się.
Dlaczego nie ugięła karku i nie zwróciła się do któregoś
z anabaptystów? Diakon zaraz wykazałby dobre chęci.
Biedna Florens, pomyślała Lina. Jeśli jej nie ukradną
ani nie zamordują, jeśli trafi do niego bez szwanku, to
nie wróci. Bo po co? Lina przyglądała się najpierw
z lekkim rozbawieniem, potem z coraz większym przy-
gnębieniem zalotom, które zaczęły się tamtego ranka,
gdy kowal przybył do pracy przy tym bezsensownym
domu. Florens stała w bezruchu, zalękniona łania, a on
zsiadł z konia, zdjął kapelusz i zapytał, czy to farma
Vaarka. Lina przełożyła wiadro z mlekiem do lewej
ręki i wskazała szczyt wzgórza. Pani wyszła z jałówką
zza szopy, zapytała, co go sprowadza, i usłyszawszy
odpowiedź, cmoknęła.

— Dobry Boże — mruknęła i wysuwając dolną
wargę, zdmuchnęła włosy z czoła. — Poczekaj tu
chwilę — dodała.

Gdy pani prowadziła krowę na pastwisko, kowal
popatrzył w oczy Linie, po czym nasadził kapelusz na
głowę. Ani razu nie spojrzał na stojącą opodal Florens,
dech zamarł jej w piersiach, obiema rękami trzymała

stołek dojarki, tak jakby chciała pomóc ciążeniu utrzymującemu ją na ziemi. Należało domyślić się, do czego to dojdzie, ale Lina była pewna, że Żałość, która zawsze padała łatwym łupem, szybko przyciągnie jego uwagę i ostudzi apetyty Florens. Gdy usłyszała od pani, że kowal jest wolnym człowiekiem, jej zaniepokojenie się spotęgowało. Miał więc prawa i przywileje, jak pan. Mógł się ożenić, mieć rzeczy na własność, podróżować, pracować za pieniądze. Powinna była natychmiast dostrzec niebezpieczeństwo, bo arogancja tego człowieka rzucała się w oczy. Gdy pani wróciła i zaczęła wycierać ręce o fartuch, znów zdjął kapelusz, a potem zrobił coś, czego nie zrobił żaden Afrykanin, którego widziała Lina — spojrzał bezpośrednio na panią, patrząc w dół, bo był bardzo wysoki, ani razu nie mrugając tymi skośnymi oczami, żółtymi jak u barana. A więc okazało się nieprawdą to, co kiedyś słyszała; że wśród tych ludzi można patrzeć w oczy tylko dzieciom i ukochanym, w innym razie jest to oznaką groźby albo braku szacunku. W mieście, do którego zabrano Linę po tym, jak pożoga zmiotła jej wioskę, za taką śmiałość każdy Afrykanin zasłużyłby na baty. Niezgłębiona zagadka. Europi mogli spokojnie wyrzynać matki, strzelać starcom w twarz z muszkietu głośniejszego niż ryk łosia, natomiast wpadali we wściekłość, gdy nie-Europ spojrzał Europowi prosto w oczy. Z jednej strony puszczali twój dom z dymem, a z drugiej karmili cię, doglądali i udzielali ci błogosławieństwa. Najlepiej oceniać każdego z osobna, by przekonać się, czy któryś, choć jeden, mógłby stać się twoim przyjacielem, i dlatego Lina spała na podłodze przy łóżku pani, mając baczenie, czy nie zbliża się Żałość albo czy pani czegoś nie potrzebuje.

Kiedyś, dawno temu, gdyby Lina była starsza lub umiała leczyć, może zdołałaby uśmierzyć ból swojej rodziny i pozostałych, którzy umierali dokoła niej: na matach z sitowia, chłepcząc wodę przy brzegu jeziora, zwinięci w kłębek na ścieżkach przez wioskę i w lesie za nią, a najczęściej szarpiąc koce, których nie mogli ani znieść, ani porzucić. Niemowlęta cichły najpierw, a matki, już gdy zasypywały ziemią ich kości, oblewały się potem i chwiały niczym wąsy kukurydzy. Z początku odganiali wrony, ona i dwóch młodych chłopców, ale ptaki i zapach były silniejsze; potem, po nadejściu wilków, wszyscy troje wdrapali się jak najwyżej na buk. Siedzieli tam całą noc, słysząc gryzienie, wycie, powarkiwanie, odgłosy walki i co najgorsze, ciszę, gdy zwierzęta wreszcie się nasyciły. O świcie żadne z trójki nie zdobyło się na śmiałość, by nazwać szczątki rozniesione po okolicy albo pozostawione owadom. W południe, akurat gdy postanowili rzucić się pędem w kierunku kanoe na brzegu jeziora, nadeszli mężczyźni w niebieskich mundurach, ze szmatami na twarzach. Wiadomość o wiosce, na którą spadła śmierć, już się rozeszła. Radość Liny na myśl, że została uratowana, znikła, gdy żołnierze, obrzuciwszy wzrokiem wrony i sępy żerujące na rozwłóczonych trupach, zastrzelili wilki i otoczyli całą wioskę pasem ognia. Widząc, że odlatują padlinożercy, nie wiedziała, czy pozostać w ukryciu, czy zaryzykować, że również ją trafi kula. Ale rozległy się krzyki chłopców siedzących na gałęziach, których mężczyźni w końcu usłyszeli i chwycili obu, zeskakujących prosto w ich ramiona, mówiąc: „*Calme, mes petits. Calme*". Woleli nie zastanawiać się nad tym, czy ocalałe maluchy mogą ich zarazić, byli prawdziwymi żołnierzami, nie chcieli dokonywać rzezi na małych dzieciach.

Nigdy nie dowiedziała się, dokąd zabrano chłopców, jej zaś przyszło żyć wśród dobrotliwych prezbiterianów. Mówili, że przyjmują ją z radością, ponieważ podziwiają indiańskie kobiety pracujące równie ciężko jak oni sami, mówili natomiast, że traktują z pogardą indiańskich mężczyzn, którzy całymi dniami tylko łowią ryby i polują niczym szlachcice. Zubożali szlachcice, rozumie się, gdyż niczego nie posiadają — a już na pewno nie ziemi, na której śpią — wybrawszy życie żebraków z uprawnieniami. Ponieważ niektórzy ze starszych Kościoła słyszeli potworne historie albo sami byli świadkami, jak gniew Boży spada na próżniaków i bezbożników — czarna śmierć, a potem szalejący ogień pustoszą dumne i bluźniercze miasto ich urodzenia — trzeba było tylko modlić się, że pobratymcy Liny zrozumieli przed śmiercią, iż to, co ich spotkało, jest ledwie pierwszym znakiem Jego niezadowolenia: wylaniem jednej z siedmiu czasz, z których ostatnia będzie zapowiedzią Jego nadejścia i narodzin nowego Jeruzalem. Dali jej na imię Messalina, na wszelki wypadek, ale skrócili do Lina, by pozostawić odrobinę nadziei. Przejęta strachem, że znów straci schronienie, przerażona na myśl, że zostanie na świecie sama, bez rodziny, Lina przyjęła status poganki i pozwoliła, żeby ci czcigodni ludzie ją oczyścili. Dowiedziała się, że kąpiel nago w rzece jest grzechem, że zrywanie wiśni z obwieszonego nimi drzewa jest kradzieżą, że jedzenie gotowanej mąki kukurydzianej palcami jest wyuzdane. Że Bóg najbardziej nie znosi próżniactwa, więc wpatrywanie się w dal z żalu za matką czy za towarzyszką zabaw oznaczało groźbę wiecznego potępienia. Okrywanie się skórami zwierząt było obrazą Boga, wobec tego spalili jej sukienkę z jeleniej skóry i dali porządne odzienie z grubego, szorstkiego sukna. Przecięli bransoletki z koralików, które nosiła na ramionach, i mocno skrócili włosy. Nie pozwolili jej uczestniczyć w żadnej z dwóch niedzielnych mszy, natomiast mogła odmawiać ze wszystkimi codzienne modlitwy przed śniadaniem, późnym rankiem i wieczorem. Uległość, zanoszenie błagalnych próśb czy sławienie na kolanach nie utrwaliły się, ponieważ, choć bardzo się zmagała, rys Messaliny jednak dał o sobie znać i prezbiterianie opuścili ją bez jednego słowa na pożegnanie.

Dopiero po jakimś czasie, gdy zamiatała miotłą klepisko w domu pana, szerokim łukiem omijając kurze gniazdo w kącie, samotna, zagniewana i zbolała, postanowiła wzmocnić się i poskładać w jedno to wszystko, czego uczyła ją matka, zanim zmarła w męczarniach. Polegając na własnej pamięci i zdolnościach, zebrała zarzucone rytuały, połączyła medycynę Europów z medycyną Indian, święte księgi z tradycją ludową, i przypomniała sobie albo wymyśliła ukryte znaczenie rzeczy. Innymi słowy znalazła sposób życia w tym świecie. W wiosce nie miała swobody ani swojego miejsca; pan raz był, a raz go nie było. Czułaby się zdruzgotana samotnością, gdyby nie nabrała pustelniczych umiejętności i nie stała się jeszcze jedną istotą przebywającą w świecie natury. Krakała z ptakami, gawędziła z roślinami, rozmawiała z wiewiórkami, śpiewała z krową i łapała padający deszcz prosto w usta. Wstyd spowodowany tym, że przeżyła zagładę swoich rodzin, osłabł, gdy poprzysięgła sobie, że nie zdradzi ani nie porzuci osoby, którą darzy czcią i miłością.

Wspomnienia własnej wioski zaludnionej zmarłymi z wolna przemieniły się w popiół i na ich miejsce powstał jeden obraz. Obraz ognia. Jak szybko. Jak zdecydowanie pochłonął to, co zbudowano, co było życiem. W jakiś oczyszczający i gorsząco piękny sposób. Gdy stała choćby przed zwykłym paleniskiem czy rozdmuchiwała płomień, żeby zagotować wodę, ogarniało ją słodkie poruszenie.

W oczekiwaniu na przybycie żony pan szedł jak burza, podporządkowując sobie przyrodę. Gdy Lina przynosiła mu obiad gdzieś na pole albo do zagajnika, nieraz zastawała go z głową odchyloną do tyłu, wpatrzonego w niebo, jakby dziwił się i smucił, że ziemia nie jest posłuszna jego woli. Razem zajmowali się drobiem i rozpoczęli hodowlę zwierząt, wysiewali kukurydzę i warzywa. Ale to ona nauczyła go, jak suszyć złowione ryby, po czym poznać, że zbliża się okres tarła, i jak chronić uprawy przed nocnymi stworzeniami. Żadne z nich nie umiało jednak radzić sobie z deszczem przez czternaście dni czy jego brakiem przez pięćdziesiąt pięć. Byli bezradni, gdy nadlatujące chmarami meszki nękały bydło, obsiadały konia, zmuszając ich do szukania schronienia pod dachem. Lina nie wiedziała zbyt wiele, ale potrafiła rozpoznać, że jej pan jest marnym farmerem. Ona przynajmniej umiała odróżnić chwast od sadzonki. Pozbawiony cierpliwości, będącej podstawą rolnictwa, i niechętny, by zwracać się o radę do mieszkańców pobliskiej wioski, był wiecznie zaskoczony nagłymi zmianami kpiącej sobie z niego pogody i nie mógł pogodzić się z faktem, że pospolite drapieżniki nie wiedzą ani nie zważają na to, do kogo należy ich ofiara. Nie słuchał przestróg Liny, która radziła mu stosować alozy jako nawóz, wobec tego zwabione zapachem szkodniki wygrzebywały delikatne warzywa na jego poletkach. Nie chciał sadzić dyni wśród kukurydzy. Choć zgadzał się, że czepne wąsy hamują rozwój chwastów, nie podobał mu się bałagan na polu. Za to umiejętnie obchodził się ze zwierzętami i wykonywał roboty budowlane.

To było niewdzięczne życie. Jeśli nie nastała groźna pogoda, Lina gnieździła się z kurami, aż postawił oborę w ciągu jednego dnia, tuż przed przyjazdem żony. Przez cały ten czas wypowiedziała może pięćdziesiąt słów prócz: „Tak, proszę pana". Przybiłyby ją samotność, żal i wściekłość, gdyby nie wymazała tych sześciu lat poprzedzających śmierć świata. Towarzystwa innych dzieci, pracowitych matek w pięknej biżuterii, dostojnie toczącego się życia: pór przenosin na nowe tereny, zbiorów, palenia, polowania; ceremonii związanych ze śmiercią, narodzinami i oddawaniem czci. Wybrała i przechowała to, co miała śmiałość przypomnieć sobie, resztę wyrzuciła, w ten sposób ukształtowała siebie w środku i na zewnątrz. Gdy pojawiła się pani, wymyślony wizerunek był niemal doskonały. Wkrótce stał się nie do odparcia.

Lina wkładała magiczne kamyki pod poduszkę pani, odświeżała miętą powietrze w pokoju i wpychała korzeń arcydzięgla w ropiejące usta chorej, żeby wyciągnąć z jej ciała złe duchy. Sporządziła najsilniejsze lekarstwo, jakie znała: wzięła czarcikęs, bylicę, dziurawiec, adiantum i barwinek, wszystko zagotowała, przecedziła i wlewała łyżeczką między zęby pani. Zastanawiała się, czy nie odmawiać kilku modlitw, których nauczyli ją prezbiterianie, ale ponieważ żadna nie uratowała pana, postanowiła tego nie robić. Zszedł szybko. Krzyczał na panią. Potem mówił szeptem, błagał, żeby go zabrać do jego trzeciego domu. Tego dużego, stojącego teraz bezużytecznie, ponieważ nie było już dzieci ani dzieci dzieci, które by w nim zamieszkały. Nikogo, kto z onieśmieleniem spoglądałby na jego rozmiary i podziwiał złowieszczą bramę, której zrobienie zajęło kowalowi dwa miesiące. Dwa miedziane węże stykały się na szczycie. Gdy się rozdzieliły, zgodnie z ostatnim życzeniem pana, Lina miała wrażenie, jakby wkraczała w świat potępionych. Może zlecona kowalowi praca sprowadzała się do marnotrawienia czasu dorosłego człowieka na błahostki, ale jego obecność nie była błahą sprawą. Z jednej dziewczyny uczynił kobietę i uratował życie drugiej. Żałości. O oczach lisicy, czarnych zębach i nigdy nieczesanych wełnistych włosach koloru zachodzącego słońca. Została przyjęta przez pana, a nie kupiona, i znalazła się w gospodarstwie, gdy Lina już tam mieszkała, natomiast Florens jeszcze się nie pojawiła, i nadal nie pamiętała nic ze swojej przeszłości prócz tego, że na brzeg wyciągnęły ją wieloryby.

— Żadne wieloryby — powiedziała pani. — Z całą pewnością. Unosiła się w wodzie w pozycji pionowej, w North River w kraju Mohawków, prawie tonęła, i wtedy wyciągnęli ją na brzeg dwaj tracze. Okryli kocem i na miejsce, gdzie leżała, przyprowadzili swego ojca. Podobno żyła sama na wraku statku. Sądzili, że jest chłopcem.

Ani wtedy, ani nigdy później nie powiedziała, jak się tam znalazła i skąd przybyła. Żona tracza dała jej na imię Żałość, nie bez powodu, uważała Lina, i potem przez zimę karmiła tę durną dziewczynę, która ciągle odchodziła od domu i się gubiła, nic nie umiała i pracowała jeszcze mniej, dziwną zasmuconą dziewczynę, która przykuwała uwagę synów, aż w końcu żona tracza poprosiła męża, żeby się jej pozbył. Tracz spełnił to życzenie i oddał dziewczynę pod opiekę człowiekowi, o którym wiedział, że jej nie skrzywdzi. Gdy Żałość przybyła na farmę, wlekąc się za koniem pana, pani ledwie kryła rozdrażnienie, ale przyznała, że przyda się ktoś do pomocy. Skoro pan chciał tyle podróżować, nie wystarczyły dwie kobiety w gospodarstwie i czteroletnia córka. Lina była wysoką czternastoletnią dziewczyną, gdy pan kupił ją od prezbiterianów. Przeglądał anonse wywieszone u drukarza w mieście. „Dobrze rokująca kobieta, która przeszła ospę i odrę... Dobrze rokująca Murzynka około 9 lat... Dziewczyna lub kobieta zręczna w kuchni, rozsądna, dobrze mówiąca po angielsku, cera między żółtą a czarną... Na 5 lat służby biała kobieta, która zna się na uprawie ziemi, z dzieckiem powyżej dwóch lat... Mulat z wieloma dziobami po ospie, uczciwy i stateczny... Biały chłopak zdatny do służby... Potrzebny służący do powożenia karetą, biały lub czarny... Stateczna, roztropna kobieta, która... Dobrze rokująca dziewka, biała, lat 29, z dzieckiem... Zdrowa Niemka do wynajęcia... krzepka zdrowa, zdrowa silna, silna zdrowa dobrze rokująca stateczna stateczna stateczna...", aż w końcu znalazł: „Wytrzymała kobieta, schrystianizowana i nadająca się do prac domowych wszelkiego rodzaju, do wzięcia w zamian za towary lub monety".

Będąc kawalerem, który oczekiwał przyjazdu przyszłej żony, potrzebował w gospodarstwie kobiety właśnie tego rodzaju. W tym czasie spuchnięte oko Liny już stęchło, a rany od uderzeń biczem po twarzy, rękach i nogach zagoiły się i były ledwie widoczne. Prezbiterianie, być może przypomniawszy sobie, z jaką dalekowzrocznością wybrali jej imię, w ogóle nie zapytali, co jej się stało, a mówienie im o tym nie miało sensu. Wedle prawa była osobą bez znaczenia, nie miała nazwiska, nikt nie zawierzyłby jej słowu na niekorzyść Europa. Uzgodnili tylko z drukarzem sformułowanie anonsu. „Wytrzymała kobieta...".

Gdy żona, Europka, zsiadła z wozu, natychmiast nastawiły się wrogo jedna do drugiej. Zdrowie i uroda młodej kobiety już zawiadującej domem zirytowały przyszłą panią; z kolei przejmowanie władzy przez niezdarną młodą Europkę rozwścieczyło Linę. Ale wrogość, zupełnie bezużyteczna w dziczy, zgasła w zarodku. Jeszcze zanim Lina odebrała pierwszy poród pani, nie potrafiły traktować się oziębłe. Fałszywa rywalizacja nie miała sensu w tak trudnych warunkach. Poza tym dotrzymywały sobie towarzystwa i z czasem odkryły coś znacznie ciekawszego niż pozycja społeczna. Rebekka śmiała się głośno z własnych błędów, bez żenady prosiła o pomoc. Lina klepała się w czoło, gdy zapomniała o gnijących w słomie jagodach. Zaprzyjaźniły się. Nie tylko dlatego, że ktoś musiał wyjąć żądło, gdy jedną z nich ukąsiła osa. Nie tylko dlatego, że dopiero we dwójkę udawało się odciągnąć krowę od płotu. Nie tylko dlatego, że jedna musiała trzymać za łeb, podczas gdy druga wiązała nogi świni. Przede wszystkim dlatego, że żadna z nich nie wiedziała, co właściwie robi ani jak powinna to robić. Uczyły się razem, metodą prób i błędów: co odstrasza lisy; jak przechowywać i kiedy rozrzucać obornik; która część tymotki jest zabójcza, a która jadalna, słodka w smaku; po czym poznać wągrzycę u świń; co powoduje płynny stolec u niemowląt, a co boleśnie twardy. Dla pani praca na farmie była bardziej przygodą niż znojem. Ale przecież, pomyślała Lina, miała pana, który zadowalał ją coraz bardziej, a potem córkę, Patrician, oboje uśmierzyli ból po stracie żyjących krótko dzieci, które Lina odebrała i pochowała rok po roku. Gdy pan przywiózł do domu Żałość, mieszkające tam kobiety stworzyły z niepokoju jednolity front. Zdaniem pani nie nadawała się do niczego. Zdaniem Liny była chodzącym niepowodzeniem. Rude włosy, czarne zęby, odnawiające się wrzody na szyi i takie spojrzenie srebrnoszarych oczu spod rzęs, że włosy stawały Linie na karku.

Obserwowała, jak pani uczy Żałość szyć — była to jedyna rzecz, którą ta robiła chętnie i dobrze — i nie odezwała się słowem, gdy pan, chcąc powstrzymać dziewczynę przed wędrowaniem, jak twierdził, kazał jej spać przy kominku o każdej porze roku. Takie wygody budziły podejrzenia Liny, ale nie zazdrość, nawet przy złej pogodzie. Jej lud przez tysiąc lat budował miasta dające schronienie i zapewne budowałby je przez następnych tysiąc lat, gdyby nie zabójcze stopy Europów. Okazało się, że sachem zupełnie się mylił. Europi ani nie uciekli, ani nie wymarli. W istocie rzeczy, mówiły stare kobiety zajmujące się dziećmi, przeprosił za tę pomyłkę w przepowiedni i przyznał, że choćby nie wiadomo, ilu padło z niewiedzy i choroby, ciągle będą przybywać następni. Będą mówili językami przypominającymi szczekanie psa i będą mieli dziecinne pragnienie posiadania zwierzęcych futer. Będą grodzić wiecznie ziemię, wysyłać morzem całe drzewa do dalekich krajów, brać jaką bądź kobietę, by zaznać szybkiej przyjemności, niszczyć glebę, brukać święte miejsca i czcić nudnego, pozbawionego wyobraźni boga. Zaczną pozwalać wieprzom paść się na brzegu morza, który pokryją wydmy i nic zielonego już tam nie wyrośnie. Odcięci od duszy ziemi będą koniecznie chcieli kupować jej tereny, niezaspokojeni niczym sieroty. Jest im przeznaczone przeżuć świat i wypluć potworność, która zniszczy wszystkie pierwotne ludy. Lina nie była taka pewna. Patrząc, jak państwo starają się prowadzić farmę, wiedziała, że stanowią wyjątek od reguły zawartej w poprawionej przepowiedni sachema. Wyglądało na to, że mają na uwadze różnicę między ziemią a własnością, trzymali bydło w zagrodzie, w przeciwieństwie do swoich sąsiadów, i nie mogli się zdecydować na zabijanie grasujących świń, choć to zgodne z prawem. Chcieli żyć z uprawy ziemi, a nie zjadać ją razem ze stadami, przez co mieli niewielkie dochody. I tak, choć Lina polegała na ich rozsądku, nie potrafiła zawierzyć ich instynktom. Gdyby naprawdę mieli wgląd w istotę rzeczy, nigdy nie dopuściliby Żałości tak blisko do siebie.

Ciężko się z nią obcowało, wymagała ciągłej uwagi, jak tego dnia o świcie, gdy z konieczności powierzono jej dojenie. Ponieważ była w ciąży i siedzenie na stołku sprawiało jej trudność, uraziła krowę w wymię, a ta ją kopnęła, opowiadała potem Żałość. Lina wyszła z pokoju boleści i zajęła się jałówką — najpierw porozmawiała z nią, trochę pośpiewała, później wolno kołysała obolałe strzyki w dłoni wysmarowanej śmietaną. Mleko tryskało z rzadka, było nic niewarte, ale miało to przynieść krowie ulgę. Gdy Lina wtarła tłuszcz i zwierzę się uspokoiło, wróciła pędem do domu. Nic dobrego nie mogło wyniknąć z tego, że pani została sama z Żałością, a teraz, gdy w jej brzuchu opuszczało się dziecko, jeszcze mniej można było na niej polegać. Nawet w najbardziej sprzyjających okolicznościach ta dziewczyna ciągnęła za sobą niedolę jak ogon. W wiosce Liny żył mężczyzna podobny do Żałości. Zapomniała jego imię, razem z dawnym językiem, ale znaczyło ono „za nim padają drzewa", dając do zrozumienia, jak wpływ wywierał na otoczenie. Przy Żałości białka nie dawały się ubić na pianę, dodanie masła nie powodowało, że masa na ciasto stawała się lżejsza. Lina była przekonana, że wczesną śmierć synów pani należało złożyć na karb naturalnego przekleństwa, jakim była Żałość. Po śmierci drugiego dziecka Lina czuła się w obowiązku powiadomić panią o zagrożeniu. Robiły wtedy farsz z mięsa, na przyjazd pana. Nóżki cielęce, które od rana perkotały na wolnym ogniu, już wystygły. Obrane kości leżały na stole, czekając, aż zostaną ugotowane z tłuszczem i chrząstkami.

— Niektórzy czynią zło celowo — odezwała się Lina. — Inni nie mogą się powstrzymać.

— Co chcesz przez to powiedzieć? — zapytała pani, podnosząc wzrok.

— Pani syn, John Jacob. Umarł po przyjeździe Żałości.

— Pohamuj się, Lina. Nie rozdrapuj starych ran. Moje dziecko umarło z gorączki.

— Ale Patrician też zaniemogła i nie...

— Pohamuj się, powiedziałam. Nie dość, że umarł mi na rękach, to jeszcze dokładasz te swoje prymitywne bzdury.

Zaczęła opowiadać, jakie słabowite było to dziecko, gdy ząbkowało; mówiła surowym tonem, krojąc mięso, dodając rodzynki, kawałki jabłka, imbir, cukier i sól. Lina przysunęła duży słój i zaczęły razem wkładać łyżkami mieszaninę. Następnie Lina napełniła naczynie po brzegi brandy i zalakowała. Trzymane mniej więcej przez cztery tygodnie na dworze nadawało się w sam raz do upieczenia w cieście na Boże Narodzenie. Tymczasem pani włożyła cielęcy mózg i serce do gotującej wody z przyprawami. Takie danie na kolację, usmażone w maśle i przybrane kawałkami jajka, było prawdziwą ucztą.

Teraz jeszcze bardziej nie dało się polegać na Żałości, jeszcze częściej wałęsała się po okolicy, żeby rozmawiać z trawami i winoroślami, a to dlatego, że spodziewała się dziecka, wkrótce miało nastąpić kolejne dzieworództwo i możliwe, że tym razem dziecko, niestety, nie umrze. Ale co będzie, jeżeli umrze pani? Do kogo one się zwrócą? Choć baptyści z własnej woli pomogli niegdyś panu postawić drugi dom oraz budynki gospodarcze i razem z nim chętnie ścięli wejmutki na płot, stosunki między nimi a jego rodziną ochłodły. Częściowo dlatego, że pani znienawidziła baptystów, którzy uniemożliwili jej dzieciom pójście do nieba, ale również dlatego, uważała Lina, że czajenie się Żałości budziło w nich strach. Przed laty zdarzało się, że baptyści przynosili dwa łososie albo proponowali niepotrzebną już kołyskę dla dziecka pani. I zawsze można było liczyć na koszyki z truskawkami i czarnymi jagodami od diakona, na różne orzechy, raz nawet przysłał cały udziec sarni. Teraz oczywiście nikt, ani baptysta, ani ktokolwiek, nie przyszedłby do zapowietrzonego domu. Willard i Scully też nie przyszli, co nie powinno jej zdziwić, ale jednak doznała rozczarowania. W końcu obaj byli Europami. Willard posuwał się w latach i wciąż odpracowywał przejazd statkiem. Początkowe siedem lat przeciągnęło się do dwudziestu kilku, powiedział, i już dawno temu zapomniał większość przewinień, za które przedłużano mu okres pracy za długi. Te, które wspominał z uśmiechem, miały związek z rumem; inne były próbami ucieczki. Scully, młody, drobnej budowy, z jasnymi bliznami przecinającymi mu plecy, snuł plany. Kończył odpracowywać kontrakt swojej matki. Prawdą było, że nie wiedział, jak długo to potrwa, ale chwalił się, że w przeciwieństwie do Willarda czy Liny jego niewola skończy się przed śmiercią. Był synem kobiety zesłanej do kolonii za „lubieżność i nieposłuszeństwo", ale ani jedno, ani drugie nie zostało wyplenione, jego zdaniem. Z jej śmiercią wypełnienie warunków kontraktu spadło na syna. Później jakiś mężczyzna podający się za ojca Scully'ego zapłacił należną kwotę i odzyskał część poniesionych wydatków, wynajmując chłopca jego obecnemu panu na okres, który wkrótce miał się zakończyć, tylko że Scully nie został wtajemniczony, kiedy dokładnie to nastąpi. Był prawny dokument, powiedział Linie Scully, gdzie to napisano. Lina przypuszczała, że nie widział tego dokumentu, a nawet gdyby widział, nie umiałby odcyfrować, co w nim jest. Pewność miał tylko co do tego, że suma, którą otrzyma po odzyskaniu wolności, wystarczy na kupno konia czy na początek w jakimś fachu. W jakim, zastanawiała się Lina. Jeśli ten wspaniały dzień wolnościowych wypłat nie nadejdzie szybko, również Scully, pomyślała, ucieknie i być może dopisze mu szczęście, jakie nie było dane Willardowi. Mądrzejszy od starszego mężczyzny i trzeźwo myślący, może mu się udać. Miała jednak wątpliwości; uważała, że jego marzenia o sprzedawaniu własnej pracy są jedynie marzeniami. Wiedziała, że Scully nie ma nic przeciwko spędzaniu nocy z Willardem, gdy rzecz nie w tym, żeby się wyspać. Nic dziwnego, że pan, nie mogąc liczyć na krewnych ani na synów, nie trzymał mężczyzn na swoich włościach. To była rozsądna decyzja, ale nie zawsze. Jak na przykład teraz, przy dwóch biadolących kobietach, jednej przykutej do łóżka, drugiej w dużej ciąży; i do tego nieszczęśliwie zakochana dziewczyna na wolności, i ona sama niepewna niczego, nawet wschodu księżyca.

Niech pani nie umiera. Niech pani nie umiera. Ona sama i Żałość, i noworodek, może jeszcze Florens — trzy bezpańskie kobiety i niemowlę, tu na miejscu, same, nienależące do nikogo, stałyby się łatwą zdobyczą dla każdego. Żadna z nich nie mogła dziedziczyć, żadna nie była związana z Kościołem ani zarejestrowana w księgach. Gdyby mieszkały na farmie po śmierci pani, kobiety niechronione przez prawo, byłyby uznane za intruzów, skwaterów, stały się przedmiotem handlu lub najmu, mogły być napadnięte, uprowadzone albo zesłane na wygnanie. Gospodarstwo zagarnęliby albo kupili na aukcji baptyści. Lina rozkoszowała się tym, że ma swoje miejsce w tej małej, zwartej rodzinie, ale teraz widziała brak rozsądku u państwa. Wierzyli, że mogą żyć uczciwie, wedle swoich wolnomyślicielskich przekonań, ale bez spadkobierców cała ich praca była warta mniej niż gniazdo jaskółki. Oddaliwszy się od ludzi, zyskali egoistyczne poczucie prywatności i stracili ochronę i wsparcie, jakie daje klan. Baptyści, prezbiterianie, plemię, oddział wojskowy, rodzina, jakaś otoczka — to zawsze się przydawało. Duma, pomyślała. Właśnie duma kazała im sądzić, że wystarczą sami sobie, że będą mogli tak kształtować życie jak Adam i Ewa, jak bogowie znikąd, bez zobowiązań wobec niczego prócz tego, co sami stworzyli. Należało ich ostrzec, ale oddanie odradzało zuchwałość. Dopóki żył pan, łatwo było przysłonić prawdę: że nie stanowią rodziny, nawet grupy o podobnych przekonaniach. Byli sierotami, wszyscy razem i każde z osobna.

Lina patrzyła przez falistą szybę w okienku, przez które łagodne żółte światło zalotnego słońca padało w stronę nóg łóżka pani. Po drugiej stronie szlaku znajdował się w oddali bukowy las. Jak to często bywało, odezwała się do drzew.

— Dla was i dla mnie ta ziemia jest domem — szepnęła. — Ale w przeciwieństwie do was ja jestem tu na wygnaniu.

Pani Liny coś bełkocze, opowiada jej, a może sobie, jakąś historię, mówi o sprawie wielkiej wagi, o czym świadczą rzucane spojrzenia. Co może mieć tak istotne znaczenie, zastanawiała się Lina, że pani porusza nienadającym się do użytku językiem w ustach pociętych ranami? Podnosi owinięte ręce i macha. Lina odwraca się, żeby zobaczyć, na czym skupia się jej wzrok. Na skrzyni, gdzie pani trzyma ładne rzeczy, cenne nieużywane podarunki od pana. Koronkowy kołnierz, kapelusz, w którym nie pokazałaby się przyzwoita kobieta, z pawim piórem złamanym pod ciężarem innych rzeczy. Na kuponie jedwabiu leży małe lusterko w kunsztownej ramie z poczerniałego srebra.

— Da... — powiedziała pani.

Lina wzięła je, myśląc: o nie, tylko nie to. Nie patrz. Nigdy nie szukaj własnej twarzy, nawet w zdrowiu, bo odbicie wysączy ci duszę.

— Szyb-ko — jęknęła pani błagalnym tonem niczym dziecko.

Nie mogąc zdobyć się na nieposłuszeństwo, Lina przyniosła lusterko. Włożyła je w ręce wyglądające jak w rękawiczkach z jednym palcem, teraz już pewna, że jej pani umrze. A ta pewność była czymś w rodzaju śmierci również dla niej, ponieważ jej własne życie, wszystko, zależało od tego, czy pani przeżyje, co z kolei zależało od dokonań Florens.

Lina zakochała się w niej od pierwszej chwili, gdy tylko zobaczyła, jak drży na śniegu. Wystraszona dziewczynka o długiej szyi nie wypowiedziała słowa przez wiele tygodni, a gdy się odezwała, jej lekkiego, śpiewnego głosu słuchało się z przyjemnością. Jakoś tak, jakimś sposobem to dziecko ukoiło słabą, choć nieustanną tęsknotę za domem, którego Lina kiedyś zaznała, gdzie każdy miał coś i nikt nie miał wszystkiego. Może jej oddanie spotęgowało się przez to, że była bezpłodna. Tak czy owak chciała chronić tę dziewczynkę, trzymać ją z dala od zepsucia naturalnego u takiej osoby jak Żałość, a ostatnio postanowiła, że będzie murem między Florens a kowalem. Od jego przybycia zauważyła w dziewczynie żądze, których sama kiedyś zaznała. Pobekiwanie pełne pożądania wykraczającego poza granice rozumu i pozbawionego sumienia. Młode ciało wyrażające swoim jedynym językiem swój wyłączny powód życia na ziemi. Gdy przybył kowal — zbyt lśniący, o wiele za wysoki, do tego arogancki, zręczny w pracy — tylko Lina dostrzegła niebezpieczeństwo, ale nie miała z kim podzielić się swoim niezadowoleniem. Pani zgłupiała ze szczęścia, bo miała w domu męża, a pan zachowywał się tak, jakby kowal był jego bratem. Lina widziała, jak pochylali głowy nad liniami narysowanymi na ziemi. Kiedy indziej widziała, jak pan kroił zielone jabłko, lewą nogę w wysokim bucie oparł o głaz, jego usta poruszały się razem z rękami; kowal kiwał głową, patrząc z uwagą na pracodawcę. Po chwili pan nadział kawałek jabłka na nóż, z całą nonszalancją, jaką można sobie wyobrazić, i podał kowalowi, który równie nonszalancko wziął jabłko i włożył do ust. Lina wiedziała zatem, że jest jedyną osobą, która zdaje sobie sprawę ze zbliżającego się ukradkiem rozpadu. Tylko ona przeczuła zniszczenia, spustoszenia, które spowoduje wolny czarny mężczyzna. Już doprowadził do ruiny Florens; nie dopuszczała do siebie myśli, że wzdycha do człowieka, któremu nie chciało się z nią pożegnać. Gdy Lina spróbowała ją oświecić, mówiąc: „Jesteś jednym liściem na jego drzewie", Florens pokręciła głową, zamknęła oczy i powiedziała: „Nie. Jestem jego drzewem". Lina miała tylko nadzieję, że ta gwałtowna zmiana nie będzie ostatnia.

Florens bardzo przypominała Linie ją samą z czasów, gdy została przesiedlona — tylko cichą, nieśmiałą. Przed upadkiem. Przed grzechem. Przed mężczyznami. Lina roztoczyła opiekuńcze skrzydła nad Patrician, rywalizując z panią o serce małej dziewczynki, ale ta nowa, przybyła tuż po śmierci tamtej, mogła należeć, miała należeć, tylko do niej. I miała być przeciwieństwem niepoprawnej Żałości. Florens już umiała czytać i pisać. Już nie trzeba było jej powtarzać, żeby wykonywała do końca prace domowe. Odznaczała się solidnością, a przy tym okazywała głęboką wdzięczność za każdy strzęp uczucia, pogłaskanie po głowie, uśmiech aprobaty. Spędziły ze sobą niezapomniane noce, leżały obok siebie, a Florens słuchała z zapartym tchem opowieści Liny. O niegodziwcach, którzy ucinali głowy oddanym żonom; o kardynałach, którzy zabierali dusze dobrych dzieci tam, gdzie sam czas był w powijakach. Zwłaszcza o matkach, które ratowały swoje dzieci przed wilkami czy kataklizmami. Linie niemal pękało serce, gdy przypominała sobie ulubioną historię i rozmowy, jakie potem zawsze prowadziły szeptem.

Pewnego dnia, szła opowieść, samica orła złożyła jaja w gnieździe wysoko i daleko od węży i pazernych łap. Pilnuje jaj, nie odrywając od nich lśniących, czarnych jak noc oczu. Gdy tylko wyczuje drżenie liścia, woń innego życia, jeszcze bardziej się chmurzy, podrywa głowę i cicho stroszy pióra. Jej szpony są wyostrzone na skale; dziób przypomina kosę boga wojny. Zawzięcie chroni rodzące się młode. Ale nie może obronić ich przed jednym: przed złymi myślami człowieka. Któregoś dnia na pobliską górę wchodzi podróżny. Staje na szczycie i podziwia widok w dole. Turkusowe jezioro, wieczne choiny, szpaki wlatujące w chmury poprzecinane tęczą. Śmieje się, widząc takie piękno, i mówi: „To jest doskonałe — i moje". Słowo wzbiera, dudni niczym grzmot w dolinach, nad połaciami pierwiosnków i ślazu. Z jaskiń wychodzą stworzenia, zastanawiając się, co to może oznaczać. Moje. Moje. Moje. Drżą skorupki jaj orła, jedna nawet pęka. Orzeł obraca głowę, szukając źródła tego dziwnego, bezsensownego grzmotu, tego niezrozumiałego dźwięku. Zauważywszy podróżnego, rzuca się, żeby pochwycić jego śmiech i nienaturalny dźwięk. Ale zaatakowany podróżny unosi kij i z całej siły uderza w skrzydło. Z krzykiem orzeł leci, leci w dół. Nad turkusowym jeziorem, za wieczne choiny, przez chmury poprzecinane tęczą. Krzycząc i krzycząc, frunie na wietrze, a nie na skrzydłach.

Wtedy Florens pyta szeptem:

— A teraz gdzie on jest?

— Wciąż leci w dół — odpowiada Lina. — Wiecznie leci.

Florens niemal nie oddycha.

— A jaja? — pyta.

— Pisklęta same się wykluwają — mówi Lina.

— I żyją? — rozlega się natarczywy szept Florens.

— Jak my — powiada Lina.

Florens wzdychała wtedy, trzymając głowę na ramieniu Liny, i gdy nadchodził sen, uśmiech trwał na buzi dziewczynki. Głód matki — żeby nią być albo żeby ją mieć — obie dostawały zawrotu głowy z tej tęsknoty, która, o czym wiedziała Lina, pozostawała żywa, krążyła w kościach. Florens rosła, uczyła się szybko, chciała wiedzieć coraz więcej i doskonale nadawałaby się do odszukania kowala, gdyby nie okaleczyło jej uwielbienie dla niego.

Gdy pani uparła się spojrzeć na swoją twarz w lusterku i pomieszać sobie w głowie, Lina zamknęła oczy na to lekkomyślne przywoływanie złego losu i wyszła z pokoju. Czekało ją mnóstwo domowych obowiązków, a Żałość jak zwykle gdzieś się podziała. Co z tego, że była w ciąży, mogła przynajmniej posprzątać przegrody dla zwierząt. Lina weszła do obory i rzuciła okiem na połamane sanie, w których spała z Florens zimną porą. Widząc pajęczyny rozpięte między płozami a posłaniem, westchnęła, potem wstrzymała oddech. Pod saniami leżały buciki Florens, te z króliczej skórki, które zrobiła jej przed dziesięcioma laty — samotne, puste niczym dwie cierpliwe trumny. Wstrząśnięta wyszła z obory i stanęła nieruchomo przy drzwiach. Dokąd pójść? Nie mogła znieść użalania się nad sobą, które pchnęło panią do kuszenia złych duchów, wobec tego postanowiła poszukać Żałości nad rzeką, gdzie tamta często chodziła, żeby porozmawiać ze swoim zmarłym dzieckiem.

Rzeka połyskiwała w słońcu, które odchodziło powoli niczym panna młoda niechętnie opuszczająca ucztę weselną. Ani śladu Żałości, ale Lina poczuła wyborną woń ognia i poszła za nią. Ostrożnie kierowała się w stronę zapachu dymu. Chwilę później usłyszała głosy, kilka głosów, przyciszonych celowo i z rozwagą. Podczołgawszy się kilkaset jardów, zobaczyła postacie w świetle małego ogniska rozpalonego w głębokim ziemnym dole. Chłopiec razem z kilkoma dorosłymi obozowali wśród zimozielonej golterii pod dwoma głogami. Jeden mężczyzna spał, drugi strugał kawałek drewna. Trzy kobiety, z których dwie były Europkami, jakby usuwały ślady po posiłku, łupiny orzechów, łuski kukurydzy, i przepakowywały inne rzeczy. Nieuzbrojeni, pewnie nastawieni pokojowo, pomyślała Lina, podchodząc bliżej. Jak tylko się pokazała, wygramolili się na górę — wszyscy prócz śpiącego mężczyzny. Poznała ich: jechali wozem, na który wsiadła Florens. Serce w niej zamarło. Co się stało?

— Dobry wieczór — odezwał się mężczyzna.

— Dobry wieczór — powiedziała Lina.

— To pani ziemia? — zapytał.

— Nie. Ale możecie tu być.

— Dziękujemy. Długo się nie zatrzymamy.

Odprężył się, podobnie jak pozostali.

— Pamiętam was — powiedziała Lina. — Na wozie. Do Hartkill.

Zapadła długa cisza, kiedy to zastanawiali się, jak zareagować.

— Była z wami dziewczyna — ciągnęła Lina. — Odprowadzałam ją.

— Rzeczywiście — przytaknął mężczyzna.

— Co się z nią stało?

Kobiety pokręciły głowami i wzruszyły ramionami.

— Zsiadła z wozu — odezwała się jedna z nich.

— Wysiadła? Dlaczego?

— Nie wiadomo. Chyba weszła w las.

— Sama?

— Mówiliśmy, żeby do nas dołączyła. Nie chciała. Jakby się spieszyła.

— Gdzie? Gdzie wysiadła?

— Jak my. Przy karczmie.

— Rozumiem — rzekła Lina. Nic z tego nie rozumiała, ale sądziła, że lepiej nie naciskać. — Może coś wam przynieść? Niedaleko jest farma.

— To miło, ale nie, dziękujemy. Wędrujemy nocą.

Mężczyzna, który dotąd spał, obudził się i uważnie spoglądał na Linę, tymczasem ten drugi skupił się na rzece. Gdy zebrali swoje nieliczne zapasy, jedna z Europek powiedziała do pozostałych:

— Lepiej chodźmy na dół. On nie będzie czekał.

Zgodzili się bez słowa i ruszyli w stronę rzeki.

— Dobrej drogi — powiedziała Lina.

— Do widzenia. Niech łaska na panią spływa.

Wtedy ten pierwszy mężczyzna odwrócił się.

— Pani nas nigdy nie widziała, prawda?

— Nie widziałam.

— Będziemy zobowiązani. — Uchylił kapelusza.

Idąc z powrotem do domu, bardzo się pilnując, żeby nawet nie spojrzeć na ten nowy, Lina pomyślała z ulgą, że dotychczas nic złego nie przydarzyło się Florens, i wystraszyła się jak nigdy dotąd, że coś złego jej się przydarzy. Uciekinierzy mieli swoje cele, Florens miała inny. Zamiast wejść do domu, Lina wyszła na drogę, spojrzała w obie strony, potem uniosła głowę, żeby powąchać zbliżającą się pogodę. Wiosna była jak zwykle kapryśna. Przed pięcioma dniami Lina wyczuła deszcz, dłuższy i obfitszy niż od jakiegoś czasu; ulewa jej zdaniem przyspieszyła śmierć pana. Potem dzień gorącego, jasnego słońca, które odświeżyło i pokryło drzewa jasnozieloną mgiełką. Gdy później spadł nagle śnieg, była zaskoczona i zaniepokojona, ponieważ Florens musiała podróżować w taką pogodę. Wiedząc, że dziewczyna posuwa się do przodu, usiłowała teraz dowiedzieć się, co ma w zanadrzu niebo, podmuch wiatru. Ciszę, uznała; wiosna sadowiła się jako pora wzrostu. Uspokojona wróciła do pokoju boleści, gdzie rozlegało się mamrotanie pani. Jeszcze więcej użalania się nad sobą? Nie, tym razem żadnego przepraszania prosto w twarz. Teraz, o dziwo, pani się modliła. O co, do kogo, tego Lina nie wiedziała. Była zaskoczona i zarazem zażenowana, ponieważ zawsze uważała, że pani jest uprzejma wobec chrześcijańskiego boga, ale obojętnie, jeśli nie wrogo, nastawiona do religii. No cóż, rozmyślała Lina, tchnienie śmierci ma najwyższą moc, odmienia umysły i zdobywa serca. Wszelkie decyzje podejmowane z poczuciem tchnienia śmierci są równie wątpliwe jak niezłomne. W sytuacjach kryzysowych rozsądek pojawia się rzadko. Niemniej, co z Florens? I pomyśleć, jak postąpiła, widząc, że sytuacja uległa nagłej zmianie: gdy inni umknęli, poszła swoją drogą. Słusznie, dzielna dziewczyna. Ale czy da sobie radę? Sama? Miała wysokie buty pana, list, jedzenie i nieprzepartą potrzebę zobaczenia się z kowalem. Ale czy wróci — z nim, za nim, bez niego — a może w ogóle nie wróci?

Noc jest gęsta, nigdzie żadnych gwiazd, tylko nagły przesuwa się księżyc. Bardzo boli drapanie igieł i w ogóle nie ma odpoczynku. Schodzę i szukam lepszego miejsca. Przy świetle księżyca z radością widzę wydrążoną kłodę, ale roi się od mrówek. Odłamuję witki i gałązki z młodej jodły, układam na stos i wczołguję się pod spód. Igły aż tak nie kłują i nie można spać. Ziemia jest wilgotna, chłodna. Nocne norniki podchodzą, wąchają mnie i uciekają. Bacznie rozglądam się, czy węże nie zsuwają się z drzew na ziemię, choć Lina twierdzi, że one nie mają ochoty nas gryźć ani połykać w całości. Leżę nieruchomo i staram się nie myśleć o wodzie. Myślę za to o innej nocy, o innym miejscu na mokrej ziemi. Ale wtedy jest lato i wilgoć bierze się z rosy, a nie ze śniegu. Opowiadasz mi o robieniu rzeczy z żelaza. Jaki jesteś zadowolony, gdy znajdujesz łatwą rudę blisko powierzchni ziemi. Wspaniałość kształtowania metalu. Jak twój ojciec i przed nim jego ojciec dawno, dawno temu przez tysiąc lat. W piecach z kopców termitów. Sam wiesz, że przodkowie są ci przychylni, gdy wypowiadasz ich imiona i w tej samej chwili pojawiają się dwie sowy, i wtedy zdajesz sobie sprawę, że pokazują ci się na znak błogosławieństwa. Popatrz, mówisz, popatrz, jak kręcą głowami. Również tobie są przychylni, mówisz mi. Czy mnie też błogosławią, pytam. Poczekaj, mówisz. Poczekaj, to się przekonasz. Chyba dają mi błogosławieństwo, bo teraz idę. Idę do ciebie.

Lina twierdzi, że są duchy, które opiekują się wojownikami i myśliwymi, inne strzegą dziewic i matek. Nie zaliczam się do nich. Wielebny ojciec powiada, że komunia jest największą nadzieją, potem pozostaje modlitwa. W pobliżu nie ma komunii, a ja wstydzę się modlić do Panienki, bo wszystko, o co proszę, jej się nie spodoba. Myślę, że pani nie ma nic do powiedzenia w tej sprawie. Unika baptystów i kobiet ze wsi, które chodzą do domu zborowego. Irytują ją, gdy w trójkę — pani, Żałość i ja — jedziemy sprzedać dwa cielaki. Uwiązane na linie drepczą za wozem. Czekamy, gdy pani prowadzi targi. Żałość zeskakuje na dół i idzie za faktorię, gdzie jakaś kobieta zaczyna na nią wrzeszczeć i tłuc ją po twarzy. Gdy pani widzi, co się dzieje, jej twarz i twarz tamtej płoną gniewem. Żałość załatwia się na podwórzu, nie przejmując się spojrzeniami ludzi. Po kłótni pani zabiera nas z powrotem. Po jakimś czasie zatrzymuje konia. Odwraca się do Żałości i uderza ją w twarz, mówiąc do niej ty głupia. Jestem wstrząśnięta. Pani nigdy nas nie bije. Żałość nie płacze i nie odzywa się. Pani chyba mówi jej coś jeszcze, łagodniej, ale widzę tylko, jak poruszają się jej oczy. Mają podobny wyraz jak oczy kobiet, które wpatrują się w Linę i we mnie, gdy czekamy na braci Neyów. Żadne z tych spojrzeń nie budzi strachu, ale jest przykre. Wiem jednak, że pani ma lepsze serce. Któregoś zimowego dnia, kiedy jestem jeszcze mała, Lina pyta, czy może mi dać trzewiki jej zmarłej córki. Są czarne, każdy ma sześć guziczków. Pani zgadza się, ale widząc mnie w tych bucikach, raptem siada na śniegu i płacze. Pan przychodzi, bierze ją w ramiona i niesie do domu.

Ja nigdy nie płaczę. Nawet gdy ta kobieta kradnie mi opończę i chodaki i marznę na łodzi, nawet wtedy nie napływają łzy.

Od tych myśli robi się we mnie smutno, więc wybieram myślenie o tobie. Jak mówisz o rzeczach, które robisz na tym świecie, że są masywne i piękne. Uważam, że ty też. Nie potrzebuję świętych duchów. Ani komunii czy modlitwy. Ty mnie chronisz. Tylko ty. Możesz dawać ochronę, bo mówisz, że jesteś wolnym człowiekiem z Nowego Amsterdamu teraz i zawsze. Nie takim jak Will czy Scully, ale takim jak pan. Nie wiem, co to za uczucie i co to znaczy być wolnym i nie być wolnym. Ale mam jedno wspomnienie. Gdy brama u pana jest gotowa, a ciebie nie ma tak długo, czasem idę cię szukać. Za nowy dom, za pagórek, z drugiej strony wzgórza. Widzę ścieżkę między rzędami wiązów i idę nią. Pod stopami jest ziemia i zielsko. Za jakiś czas ścieżka oddala się od wiązów i po prawej stronie skalisty teren opada w dół. Po lewej wznosi się wzgórze. Wysoko, bardzo wysoko. Do samej góry pną się purpurowe kwiaty, które widzę pierwszy raz. Są wszędzie, przyduszają własne listki. Niesie się słodki zapach. Zanurzam rękę i zrywam parę kwiatów. Słyszę coś za plecami, odwracam się i widzę jelenia wchodzącego na skaliste zbocze. Jest wielki. I wspaniały. Stojąc między przyzywającą wonną ścianą a jeleniem, zastanawiam się, co jeszcze pokaże mi świat. Wydaje się, że jestem nieuwiązana, mogę wybierać, jeleń, ściana kwiatów. Trochę boję się tego nieuwiązania. Czy wolna to właśnie taka? To mi się nie podoba. Nie chcę być wolna od ciebie, ponieważ tylko przy tobie jest we mnie życie. Gdy wybieram i mówię dzień dobry, jeleń daje susa.

Teraz myślę o czym innym. O innym zwierzęciu, które nadaje kształt wyborowi. Pan kąpie się co roku w maju. Wlewamy wiadra gorącej wody do balii i dorzucamy trochę świeżo zebranej golterii. Pan siedzi jakiś czas. Wystają mu kolana, włosy ma przyklapnięte i mokre na końcach. Zaraz jest tam pani z bryłą mydła, potem ze szczotką na krótkim kiju. Gdy pan zaróżowi się od szorowania, wstaje. Pani owija go płótnem, wyciera. Potem siada w balii i ochlapuje się wodą. Pan jej nie szoruje. Jest w domu i ubiera się. Na skraju polany idzie między drzewami łoś. Wszystkie go widzimy — pani, Lina i ja. Stoi samotnie, przyglądając się. Pani krzyżuje ręce na piersiach. Patrzy z wytrzeszczonymi oczami. Krew odpływa jej z twarzy. Lina krzyczy i rzuca kamieniem. Łoś odwraca się z wolna i odchodzi. Jak wódz plemienia. Pani i tak dygocze jak po zobaczeniu czegoś niegodziwego. Myślę sobie, że ona wygląda na taką małą. To tylko łoś, który wcale się nią nie interesuje. Ani nikim. Pani nie krzyczy ani się nie ochlapuje. Nie ryzykuje wyboru. Pan wychodzi z domu. Pani wstaje i biegnie do niego. Po jej nagim ciele spływa golteria. Lina i ja spoglądamy jedna na drugą. Czego ona się boi, pytam. Niczego, powiada Lina. No to po co biegnie do pana? Bo może to zrobić, mówi Lina. Nagle chmara wróbli spada z nieba i sadowi się na drzewach. Jest ich tyle, że drzewa jakby wypuszczają ptaki, a nie liście. Lina wskazuje na nie. To nie my nadajemy kształt światu, mówi. Świat nadaje kształt nam. Z nagła i z cicha wróble znikają. Nie rozumiem Liny. Ty nadajesz kształt mnie i również jesteś moim światem. Tak już jest. Nie trzeba wybierać.

I le czasu to zabierze czy ona nie zabłądzi czy on tam będzie czy przyjdzie czy jakiś włóczęga jej nie zgwałci? Potrzebne jej były buty, prawdziwe buty zamiast brudnych szmat okrywających stopy, i dopiero gdy Lina coś jej zrobiła, wypowiedziała pierwsze słowo.

Myśli Rebekki zlewały się, plątały się fakty i daty, ale nie ludzie. Potrzeba przełykania, ból temu towarzyszący i niepowstrzymana chęć, by oderwać skórę od kości, ustawały dopiero wtedy, gdy traciła przytomność — nie wtedy, gdy zapadała w sen, ponieważ sen niczym nie różnił się od jawy.

— Srałam przy obcych ludziach przez sześć tygodni, zanim dotarłam do tego kraju.

Powtarzała to Linie na okrągło. Spośród tych, którzy pozostali, tylko Lina miała dość rozumu, by Rebekka darzyła ją zaufaniem i ceniła jej zdanie. Nawet teraz, w tę granatową wiosenną noc, zaznawszy mniej snu niż jej pani, Lina szeptała coś i machała dokoła łóżka piórami na kijku.

— Przy obcych — powiedziała Rebekka. — Inaczej się nie dało, byliśmy upchani na międzypokładzie jak śledzie.

Wbiła wzrok w Linę, która odłożywszy swoją różdżkę, uklękła przy łóżku.

— Poznaję cię — rzekła Rebekka, sądząc, że się uśmiecha, choć pewności nie miała. Inne znajome twarze pojawiały się nad nią od czasu do czasu, a potem znikały: twarz jej córki, marynarza, który pomógł jej nieść skrzynki i naciągnąć na nich paski, mężczyzny na szubienicy. Nie. Ta twarz była prawdziwa. Rozpoznała zaniepokojone ciemne oczy, brązową skórę. Jak mogłaby nie poznać swojej jedynej przyjaciółki? Chcąc utwierdzić się w przekonaniu, że myśli jasno, powiedziała: — Lina. Pamiętasz, prawda? Nie mieliśmy kominka. Było zimno. Bardzo zimno. Sądziłam, że ona jest niema albo głucha, wiesz. Krew jest lepka. Zawsze zostawia ślad, choćby nie wiadomo jak... — Mówiła w skupieniu, poufnym tonem, jakby wyjawiała sekret.

Potem milczenie, gdy zapadła gdzieś między gorączką a wspomnieniami.

Nic na świecie nie mogło przygotować jej na życie

morza, na morzu, pośród morza; miała dosyć wody i rozpaczliwie jej potrzebowała. Była zahipnotyzowana i znudzona jej widokiem, zwłaszcza w południe, gdy kobietom pozwalano przebywać godzinę dłużej na pokładzie. Wtedy rozmawiała z morzem.

— Uspokój się, nie ciskaj mną. Nie. Rusz się, rusz, pobudź mnie. Możesz mi zaufać, dochowam twoich tajemnic: że twój zapach przypomina świeżą miesięczną krew; że kula ziemska należy do ciebie, a ląd jest dodatkiem ku twej rozrywce; że świat pod tobą jest zarówno cmentarzem, jak i niebem.

Zaraz po zejściu na ląd Rebekka oniemiała z wrażenia, widząc, jaki mąż trafił jej się czystym zrządzeniem losu. Skończyła już szesnaście lat i zdawała sobie sprawę, że ojciec wysłałby ją do byle kogo, jeśli tylko ten zapłaci za podróż i uwolni go od żywienia córki. Ponieważ był człowiekiem morza, docierały do niego różne wieści roznoszone przez towarzyszy, więc gdy ktoś z załogi przekazał informację od pierwszego oficera — że poszukuje się zdrowej, cnotliwej dziewczyny na żonę, chętnej wyjechać z kraju — szybko zaoferował swą najstarszą córkę. Tę upartą, która zawsze zadawała za dużo pytań i miała niepokorny język. Matka Rebekki sprzeciwiała się tej „sprzedaży" — użyła tego słowa, ponieważ przyszły pan młody zaznaczył, że nastąpi „refundacja" wydatków poniesionych na odzienie i kilka rzeczy na drogę — nie z miłości do córki ani z uwagi na jej potrzeby, lecz dlatego, że kandydat na męża był poganinem żyjącym wśród dzikusów. Religia, jak przekonała się Rebekka, patrząc na matkę, to ogień podsycany niezwykłą nienawiścią. Jej rodzice odnosili się do siebie nawzajem i do swoich dzieci z niewzruszoną obojętnością i cały swój żar wykorzystywali w sprawach wiary. Kropla szczodrości wobec obcego człowieka mogła zgasić ten płomień. Rebekka miała słabe pojęcie o Bogu, jeśli już, to wyobrażała Go sobie jako takiego większego króla, i zawstydzona swą niedostateczną pobożnością przyjęła założenie, że Bóg nie może być wspanialszy ani lepszy niż wyobraźnia wierzącego. Ludzie płytkiej wiary wolą mieć płytkiego boga. Bojaźliwi lubią boga mściwego, siejącego zniszczenie. Wbrew nastawionemu entuzjastycznie ojcu matka ostrzegała Rebekkę, że dzikusy i nonkonformiści podetną jej gardło, gdy tylko zejdzie na ląd, i dlatego, zastawszy na miejscu Linę, która czekała przed jednoizbową chatą zbudowaną przez nowo poślubionego męża dla młodej żony, Rebekka ryglowała na noc drzwi i nie pozwalała dziewczynie o kruczoczarnych włosach i nieprawdopodobnym kolorze skóry spać w pobliżu. Tamta miała ze czternaście lat, kamienną twarz. Dopiero po jakimś czasie zaczęły ufać sobie wzajemnie. Może dlatego, że obie nie miały rodziny albo że musiały zyskać przychylność tego samego mężczyzny, a może dlatego, że w ogóle nie wyznawały się na prowadzeniu farmy, jedna stała się dla drugiej towarzyszką. Tak czy inaczej trzymały się razem, zawarły nieme przymierze, jak to bywa podczas wspólnie wykonywanej pracy. Potem, gdy urodziło się pierwsze dziecko, Lina zajmowała się nim tak czule, z taką znajomością rzeczy, że Rebekka wstydziła się dawnych lęków i nigdy się do nich nie przyznawała. Teraz, leżąc na łóżku, mając obwiązane i skrępowane dłonie, żeby nie zrobiła sobie krzywdy, i zęby wystające spod rozciągniętych ust, oddała swój los w ręce innych i uległa wizjom dawnych niepokojów. Pierwsze egzekucje przez powieszenie widziała na placu wśród tłumu rozradowanych gapiów. Miała wtedy może dwa lata; oblicza śmierci przeraziłyby ją, gdyby nie naigrawanie się z nich i wesołość gawiedzi. Wraz z resztą swojej rodziny i większością sąsiadów była obecna przy wypruwaniu wnętrzności i ćwiartowaniu; choć w tak młodym wieku nie mogła zapamiętać szczegółów, koszmary wracały potem z całą jaskrawością pod wpływem powtarzanych po wielekroć opowieści rodziców. Nie wiedziała, ani wówczas, ani teraz, kto to taki człowiek Piątej Monarchii, ale wszyscy w jej domu uważali, że egzekucja jest równie zachwycającą zabawą jak parada królewska.

Burdy, nożownictwo i porwania były tak powszechne

w jej rodzinnym mieście, że ostrzeżenie, iż podetną jej gardło w nowym, nieznanym kraju, brzmiało jak zapowiedź złej pogody. Tego samego roku, gdy Rebekka zeszła ze statku, wielka wojna osadników z Indianami prowadzona w odległości dwustu mil dobiegła końca, nim Rebekka o tym usłyszała. Dochodziły ją słuchy o nieregularnych potyczkach między oddziałami, proch przeciw strzałom z łuku, ogień z broni palnej przeciw toporkom, ale te starcia nie mogły się równać krwawym scenom, jakie widziała od dzieciństwa. Stos ruszających się, jeszcze żywych wnętrzności podetkniętych przed oczy złoczyńcy, a potem wsadzonych do wiadra i wyrzuconych do Tamizy; rozedrgane palce szukające torsu; płonące ogniem włosy kobiety winnej rozmyślnego okaleczenia. W porównaniu z tym bladła śmierć w katastrofie morskiej czy od tomahawka. Rebekka nie wiedziała, co mieszkające opodal rodziny osadników słyszały o zwyczajowej procedurze ćwiartowania, ale nie podzielała ich przerażenia, gdy trzy miesiące po fakcie nadchodziły wieści o zażartej bitwie, porwaniu czy zerwanym pokoju. Wydawało się, że utarczki między okolicznymi plemionami lub z oddziałami milicji, nagminne w częściach tego regionu, są wydarzeniami łatwymi do kontrolowania, dziejącymi się gdzieś daleko na horyzoncie kraju tak rozległego i wonnego. Brak miasta i okrętowego smrodu wprawił ją w stan swoistego upojenia i trzeba było lat, zanim otrzeźwiała i uznała świeże powietrze za rzecz oczywistą. Już deszcz był dla niej zupełnie nowym doświadczeniem: czysta woda bez sadzy leciała z nieba. Rebekka splatała ręce pod brodą, patrząc na drzewa wyższe od katedry, tyle drewna do palenia, że chciało jej się śmiać, a potem płakać na myśl o swoich braciach i dzieciach marznących w mieście, które opuściła. Nigdy nie spotkała ptaków takich jak tu ani nie piła świeżej wody płynącej po widocznych białych kamieniach. Przygodą była dla niej nauka przyrządzania mięsa dzikich zwierząt, o których nigdy nie słyszała, i rozsmakowywanie się w pieczonym łabędziu. No cóż, zdarzały się potężne burze, gdy śnieg sięgał aż do krawędzi okiennicy. A latem roje owadów brzęczały głośniej niż bijące na wieży dzwony. Mimo to wciąż napawała ją odrazą myśl o tym, jak wyglądałoby jej życie, gdyby tam została, musiała przeciskać się tymi cuchnącymi ulicami, opluwana przez lordów i prostytutki, i ciągle dygać i dygać, i dygać. Tutaj odpowiadała tylko przed swoim mężem i składała grzecznościowe wizyty, jeśli pozwalały na to czas i pogoda, w jedynym domu zborowym w okolicy. Anabaptyści — wcale nie sataniści, jak nazywali ich jej rodzice, określając tym mianem wszystkich separatystów — byli ujmującymi, szczodrymi ludźmi mimo swoich poglądów wprowadzających zamęt w głowie. To przez te poglądy oni sami i ci okropni kwakrzy zostali pobici do krwi we własnym domu zborowym w starym kraju. Rebekka nie odczuwała zakorzenionej wrogości. Nawet król ułaskawił tuzin tych ludzi w drodze na szubienicę. Wciąż pamiętała rozczarowanie rodziców, gdy odwołano zabawę, i ich złość na uległego monarchę. Znosząc niewygody w izbie na poddaszu, gdzie słyszało się ciągłe kłótnie, wybuchy wściekłej zawiści i pełne urazy przygany wobec ludzi do nich niepodobnych, czekała z niecierpliwością, aż nadarzy się sposobność ucieczki. Dokądkolwiek.

Pierwszy ratunek przyszedł w szkole przykościelnej, wraz z szansą na poprawę sytuacji, gdy wybrano ją i trzy inne, by przysposobić do służby domowej. Ale jak się okazało, w jedynym miejscu, gdzie zgodzono się ją przyjąć, musiała uciekać przed panem i chować się za drzwiami. Wytrwała tam cztery dni. Nikt więcej nie zaproponował jej pracy. Potem przyszedł ratunek większej wagi, gdy jej ojca powiadomiono o mężczyźnie, który szuka krzepkiej żony, a nie posagu. Słysząc z jednej strony ostrzeżenia, iż podetną jej gardło, a z drugiej obietnice szczęścia małżeńskiego, nie dawała wiary ani temu, ani temu. Jednakże bez pieniędzy i bez chęci do handlu wędrownego, prowadzenia straganu czy pójścia do terminu w zamian za dach nad głową i jedzenie, przy zamkniętych przed nią nawet klasztorach dla dam z wyższych sfer, mogła zostać służącą, prostytutką lub żoną i choć krążyły straszne opowieści o każdej z tych możliwości, ta ostatnia wydawała się najbezpieczniejsza. Wówczas pewnie urodziłaby dzieci, a one dawały gwarancję jakiegoś uczucia. Niezależnie od tego, jaką poszłaby drogą, jej przyszłość zależała od charakteru mężczyzny, któremu byłaby podporządkowana. Dlatego też małżeństwo z nieznanym mężczyzną w dalekim kraju miało niewątpliwe zalety: rozstanie z matką, która ledwie uniknęła kary zanurzenia w wodzie; rozstanie z braćmi, którzy dniami i nocami pracowali z ojcem i od niego nauczyli się lekceważyć siostrę niegdyś pomagającą ich wychowywać; a zwłaszcza ucieczka przed pożądliwym spojrzeniem i nieprzyzwoitym dotykiem każdego mijanego mężczyzny, pijanego czy trzeźwego. Ameryka. Obojętnie, co człowiekowi tam grozi, już gorzej chyba być nie mogło.

Na początku, gdy osiadła na ziemi Jacoba, poszła do miejscowego kościoła oddalonego o jakieś siedem mil i poznała kilku trochę podejrzanych mieszkańców wioski. Oderwali się od większej sekty, żeby praktykować wiarę separatystów w czystszej formie, prawdziwszą i milszą Bogu. W ich obecności starała się mówić łagodnym głosem. W domu zborowym była ustępliwa, a gdy wyjaśniali jej, jakie mają przekonania, nie wywracała oczami. Odwróciła się od nich, gdy nie chcieli ochrzcić jej pierwszego dziecka, wspaniałej córki. Choć była słabej wiary, uważała, że nic nie usprawiedliwia człowieka, który nie chroni duszy niemowlęcia przed wiecznym potępieniem.

Coraz częściej wylewała przed Liną swój żal.

— Skarciłam ją za podartą koszulkę, Lina, i zanim się spostrzegłam, leżała na śniegu. Z główką roztrzaskaną jak skorupka jajka.

Byłaby zażenowana, wspominając w modlitwie o własnym zmartwieniu, nie mogąc zdobyć się na mężne znoszenie żałoby, mówiąc Bogu, że nie jest ani trochę wdzięczna za Jego czuwanie. Przecież urodziła czworo zdrowych dzieci, patrzyła, jak troje zapada w różnym wieku na taką czy inną chorobę, a potem patrzyła, jak pierworodna Patrician, która miała pięć lat i dawała jej niewiarygodne szczęście, leży w jej ramionach przez dwa dni i umiera na skutek złamania czaszki. A potem dwukrotny pochówek. Najpierw w osłoniętej futrem trumnie, bo ziemia nie mogła przyjąć małej skrzynki, którą zrobił Jacob, więc musieli zostawić dziewczynkę, żeby w niej zamarzła, i drugi raz późną wiosną, gdy w obecności anabaptystów pogrzebali ją pośród braci. Opadająca z sił, obsypana krostami, nie mając nawet jednego pełnego dnia, by opłakiwać Jacoba, doznawała zgryzoty świeżej jak siano w okresie głodu. Powinna skupić uwagę na własnej śmierci. Słyszała stuk jej kopyt o dach, widziała okrytą peleryną postać na koniu. Ale gdy tylko zelżała doraźna udręka, myśli Rebekki odrywały się od Jacoba i biegły do Patrician, której splątane włosy umyte kawałkiem twardego, ciemnego mydła spłukiwała bez końca, żeby na żadnym miodowobrązowym pasemku nie pozostała ta straszna krew ciemniejąca coraz bardziej, aż stała się czarna, jak jej umysł. Rebekka ani razu nie spojrzała na trumnę, która czekała pod skórami na odwilż. Ale gdy grunt w końcu rozmiękł, gdy Jacob zdołał wbić łopatę i złożyli trumnę do grobu, usiadła na ziemi, obejmując się ramiona i trzymając za łokcie, nie zważając na wilgoć, i patrzyła na każdą spadającą grudę. Została tam do końca dnia i przez całą noc. Nikt, ani Jacob, ani Żałość, ani Lina, nie zdołał namówić jej, żeby wstała. Pastorowi również to się nie udało, ponieważ na skutek przekonań, jakie wyznawał on i jego trzódka, jej dzieci nie zaznały odkupienia. Warczała, gdy jej dotykali, okrywali ramiona kocem. Zostawili ją więc samą i odeszli, kręcąc głowami i mamrocząc modlitwy do Boga, by jej wybaczył. O świcie, w prószącym śniegu przyszła Lina, ułożyła na grobie biżuterię i jedzenie, i wonne liście, powiedziała jej, że chłopcy i Patrician są teraz gwiazdami albo czymś równie miłym: żółto-niebieskimi ptakami, figlarnymi lisami albo różowawymi chmurkami, które zbierają się na skraju nieba. Pogańskie gadanie, niewątpliwie, ale dające więcej zadowolenia niż modlitwy w rodzaju: pogodzona czekam, aż zobaczę cię na Sądzie Ostatecznym, których uczono Rebekkę i które słyszała odmawiane przez baptystów. Pewnego letniego dnia siedziała przed domem i wygłaszała bluźnierstwa, a przy niej Lina mieszała w kotle gotującą się bieliznę.

Bóg chyba nie wie, kim jesteśmy. Polubiłby nas, gdyby wiedział, ale wydaje mi się, że nic o nas nie wie.

Ale On nas stworzył, pani. Prawda?

Tak. Ale stworzył również pawie ogony. To na pewno było trudniejsze.

Ale przecież, pani, my śpiewamy i mówimy. Pawie tego nie robią.

Nam to jest potrzebne. Pawiom nie. Co jeszcze mamy?

Myśli. Ręce do robienia różnych rzeczy.

Wszystko pięknie, ale to nasza sprawa. Nie Boga. On zajmuje się czymś innym na tym świecie. Nie zaprząta sobie nami głowy.

To co robi, jeśli nie czuwa nad nami?

Pan jeden raczy wiedzieć.

I parsknęły śmiechem, jak małe dziewczynki chowające się za stajnią i rozkoszujące się niebezpieczną rozmową. Rebekka nie umiała stwierdzić, czy wypadek

Patrician na skutek działania siły nieczystej był naganą, czy pokazaniem: nie wierz gębie.

Teraz, gdy leżała w łóżku i jej zręczne, pracowite ręce były owinięte płótnem, żeby się nie podrapała do krwi, nie potrafiła powiedzieć, czy mówi na głos, czy po prostu myśli.

— Srałam do kadzi... przy obcych...

Czasami krążyły dokoła łóżka, te obce kobiety, które nie były, które stały się swego rodzaju rodziną, jak to bywa podczas podróży morskiej. Majaki albo lekarstwo Liny, przypuszczała. Ale one przychodziły i dawały rady, plotkowały, śmiały się albo zwyczajnie patrzyły na nią ze współczuciem.

Prócz niej jeszcze siedmiu kobietom przydzielono najtańsze miejsca na międzypokładzie „Angelusa". Czekając na pozwolenie wejścia na statek, odwrócone plecami do wiatru, który zacinał od morza w stronę portu, trzęsły się wśród skrzyń, urzędników królewskich, pasażerów z górnego pokładu, wozów, koni, strażników, sakw i płaczących dzieci. Gdy wreszcie wpuszczono na statek pasażerów zajmujących dolny pokład i zanotowano ich nazwiska, nazwy hrabstw, skąd pochodzili, i zawody, cztery czy pięć kobiet powiedziało, że są służącymi. O tym, że jest inaczej, Rebekka przekonała się dość szybko, gdy tylko oddzielono je od mężczyzn i kobiet podróżujących wyższą klasą i zaprowadzono do ciemnego pomieszczenia na dole, obok przegród dla zwierząt. Światło i niepogoda przedostawały się przez luk; kadź na nieczystości stała przy baryłce z cydrem; jedzenie spuszczano w koszu na linie, a potem wciągano kosz do góry. Te powyżej pięciu stóp wzrostu chodziły zgarbione, z opuszczonymi głowami. Czołganie stało się łatwiejsze, gdy wzorem ulicznych włóczęgów każda wydzieliła swoje miejsce. Powierzchnia zastawiona bagażami, ubiór, sposób mówienia i zachowania wyraźnie określały człowieka, na długo zanim zaczęły się zwierzenia. Jedna z kobiet, Anne, została w niesławie wysłana przez swoją rodzinę. Dwie, Judith i Lydia, były prostytutkami, którym kazano wybierać między więzieniem a wygnaniem. Lydia płynęła z córką, Patty, dziesięcioletnią złodziejką. Elizabeth była córką ważnego urzędnika Kompanii Zachodnioindyjskiej, a przynajmniej tak twierdziła. Następną, Abigail, szybko przeniesiono do kajuty kapitana; jeszcze jedna, Dorothea, kradła sakiewki, za co nakładano taką samą karę jak za prostytucję. Tylko Rebekka, której podróż została opłacona z góry, miała wyjść za mąż. Na pozostałe czekali krewni lub rzemieślnicy pokrywający przejazd statkiem — prócz złodziejki sakiewek i nierządnic, które przez wiele lat musiały odpracowywać koszty podróży i utrzymania. Jedynie Rebekka była inna. Później, gdy siedziały skulone między przegrodami z kufrów, skrzynek i koców zwisających z hamaków, dowiedziała się o nich więcej. Niedojrzała dziewczynka, która uczyła się złodziejstwa, miała anielski głos. „Córka" urzędnika pochodziła z Francji. Dwie dorosłe prostytutki zostały wyrzucone z domów rodzinnych za lubieżne zachowanie w wieku czternastu lat. A złodziejka sakiewek okazała się siostrzenicą innej złodziejki, która wyuczyła ją fachu i udoskonaliła jej umiejętności. Dzięki nim lżej znosiło się podróż; z pewnością byłaby dużo bardziej okropna, gdyby nie one. Ich karczemny dowcip, specjalistyczna wiedza zaprawiona niskimi oczekiwaniami wobec innych, wysoka samoocena i śmiech z byle czego — to wszystko bawiło Rebekkę i dodawało jej śmiałości. Gdy lękiem napawała ją własna kobieca bezbronność, samotna podróż do obcego kraju, by poślubić nieznajomego mężczyznę, te kobiety rozpraszały jej obawy. Gdy nocne ćmy trzepotały jej w piersi na wspomnienie przepowiedni matki, towarzystwo skazanych na banicję, wygnanych kobiet działało uspokajająco. Dorothea, z którą szczególnie się zaprzyjaźniła, okazywała jej najwięcej pomocy. Sztucznie wzdychając i rzucając łagodne przekleństwa, poukładały swój dobytek i zajęły powierzchnię wielkości chustki do nosa. Gdy w odpowiedzi na bezpośrednie wypytywanie Rebekka przyznała, że ma wyjść za mąż i do tego, istotnie, po raz pierwszy, Dorothea roześmiała się i podzieliła się swoim odkryciem ze wszystkimi w zasięgu głosu.

— Dziewica! Słyszysz, Judy? Wśród nas jest zielona cipka.

— No to dwie są na stanie. Razem z Patty. — Judith mrugnęła okiem i uśmiechnęła się do dziewczynki. — Nie sprzedaj tego za bezcen.

— Ona ma dziesięć lat! — zawołała Lydia. — Uważasz, że nie nadaję się na matkę?

— Okaże się za dwa lata.

Trzy kobiety śmiały się do rozpuku, aż Anne powiedziała:

— Proszę was, dość tego. Grubiaństwo rani moje uszy.

— Grubiańskie słowa, ale nie grubiańskie zachowanie? — zapytała Judith.

— I jedno, i drugie — rzekła tamta.

Już się rozlokowały i tylko czekały, żeby wystawić na próbę sąsiadki. Dorothea zdjęła but i ruszała palcami wystającymi przez dziurę w pończosze. Po chwili, lekko pociągając, zawinęła postrzępioną wełnę pod palce. Włożyła z powrotem but i uśmiechnęła się do Anne, mówiąc:

— Czy to z powodu zachowania rodzina wysłała cię za morze? — Otworzyła szeroko oczy i zatrzepotała niewinnie rzęsami.

— Jadę w odwiedziny do wujostwa.

Gdyby przez otwarty luk wpadało więcej światła, zapewne zobaczyłyby pąsowe rumieńce na policzkach Anne.

— I wieziesz im prezent, jak sądzę — zachichotała Lydia.

— Buju, buju. Buju, buju. — Dorothea ułożyła dłonie w kołyskę.

— Zołzy! — warknęła Anne.

Znowu rozległ się śmiech tak donośny, że zaniepokoiły się zwierzęta za ścianą z desek. Jakiś marynarz, prawdopodobnie wykonując polecenie, stanął nad nimi i zamknął luk.

— Ty draniu! — zawołała któraś, gdy utonęły w ciemnościach.

Dorothea i Lydia, czołgając się, znalazły jedyną lampę, jaką tam miały. Gdy rozbłysła, wszystkie skupiły się wokół światła.

— Gdzie jest panna Abigail? — zapytała Patty, która polubiła osobę po swojej lewej stronie na wiele godzin przed wypłynięciem w morze.

— Została wybranką kapitana — odpowiedziała jej matka.

— Ma dziwka szczęście — mruknęła Dorothea.

— Ugryź się w język. Jeszcze go nie widziałaś.

— Ale wyobrażam sobie jego stół — westchnęła Dorothea. — Jagódki, wino, baranina, paszteciki...

— Przestań nas dręczyć. Dajże spokój. Może ta suka coś nam podeśle. Kapitan nie spuści jej z oka. Świnia...

— Mleko prosto z wymienia, żadnych paprochów ani much na wierzchu, odcisk stempla na maśle...

— Przestań!

— Mam trochę sera — powiedziała Rebekka. Zdziwiona dziecięcym brzmieniem swego głosu zakasłała. — I herbatniki.

Odwróciły się do niej i któraś odezwała się śpiewnie:

— O, jak to miło. Zjedzmy podwieczorek.

Zaskwierczał knot lampy naftowej, co groziło zapadnięciem ciemności, jakie znają jedynie podróżujący na międzypokładzie. Nieustanne kołysanie na boki, pohamowywanie się, by nie wymiotować przed dojściem do kadzi, chodzenie na kolanach, bezpieczniejsze niż na nogach — to wszystko dawało się jakoś znieść, jeśli wpadał strumień światła choćby szerokości dłoni.

Kobiety ścieśniły się wokół Rebekki i nienakłaniane zaczęły się nagle zachowywać, jak przystało w ich wyobrażeniu na królowe. Judith rozłożyła chustę na wieku skrzyni, Elizabeth wyjęła z kufra czajnik i komplet łyżeczek. Pojawiły się rozmaite kubki — cynowe, blaszane, gliniane. Lydia napełniła czajnik i podgrzała wodę nad lampą, osłaniając płomień dłonią. Nie zdziwiły się, że żadna nie ma herbaty, za to i Judith, i Dorothea miały schowany w workach rum. Ze starannością kamerdynera dolewały rum do letniej wody. Rebekka położyła ser na środku chusty i dokoła niego herbatniki. Anne odmówiła modlitwę. Spokojnie oddychając, popijały małymi łykami ciepławą, wzmocnioną wodę i żuły czerstwe herbatniki, elegancko strzepując okruszki. Patty siedziała między nogami matki, a Lydia przechylała kubek jedną ręką, a drugą gładziła włosy córki. Rebekka przypomniała sobie, jak każda z nich, także dziesięciolatka, odginała mały palec. Pamiętała również ciszę, którą podkreślał plusk fal. Może te kobiety starały się zatrzeć w myślach, podobnie jak ona, to wszystko, przed czym uciekły i co mogło je czekać. Pomieszczenie, gdzie siedziały w kucki, budziło wstręt, ale było puste, niczym nienaznaczone, więc nie prześladowała tam przeszłość i nie przyzywała przyszłość. Kobiety mężczyzn i dla mężczyzn — przez tych kilka chwil nie były ani takie, ani takie. I gdy w końcu zgasła lampa, osnuwając je czernią, długo siedziały w bezruchu, niepomne odgłosu kroków na górze i porykiwania tuż obok. W ich odczuciu, ponieważ nie mogły oglądać nieba, czas stał się po prostu płynącym morzem, niezauważany, wieczny i bez znaczenia.

Po zejściu na ląd nie udawały, że znów się zobaczą. Wiedziały, że nie, więc pożegnały się szybko, bez czułości, każda zabrała bagaż i zaczęła wypatrywać w tłumie swojej przyszłości. I rzeczywiście, nie zobaczyły się nigdy więcej, pomijając te wizyty przy łóżku, które wyczarowywała Rebekka.

Był wyższy, niż sobie wyobrażała. Wszyscy znani jej mężczyźni byli niscy — czerstwi, ale niscy. Pan Vaark (dopiero po jakimś czasie przemogła się i zaczęła mówić do niego po imieniu) dotknął z uśmiechem jej twarzy, a potem wziął obie skrzynki.

— Zdjąłeś kapelusz i uśmiechnąłeś się. Długo, długo się uśmiechałeś.

Zdawało jej się, że odpowiada na szeroki uśmiech swego przyszłego męża, ale spierzchnięte wargi ledwie drgnęły, gdy znów przeżywała ich pierwsze spotkanie. Miała wówczas wrażenie, że ku temu zmierzało całe jego życie — żeby ją nareszcie poznać — z tak wyraźną ulgą i zadowoleniem jej się przyglądał. Idąc za nim, czując paraliżującą sprężystość gruntu po tygodniach na morzu, potknęła się na drewnianych deskach i rozdarła krawędź sukienki. Nie obejrzał się, więc chwyciła fałdy, ścisnęła pod pachą zwinięte w rulon posłanie i podreptała do wozu, nie przyjmując jego dłoni, gdy chciał pomóc jej wsiąść. To przypieczętowało sprawę. On nie chciał jej rozpieszczać. Ona nie zgodziłaby się na to, gdyby okazał chęć. Idealna formuła czekającej ich pracy.

„Ślubów udziela się w środku" — widniało na szyldzie obok drzwi kawiarni, a poniżej małymi literami kilka linijek, w których przestroga łączyła się ze zmysłem handlowym: „Poczęty z bezprawnej żądzy prowadzi do grzechu". Duchowny, choć leciwy i niezbyt trzeźwy, uwinął się szybko. Po kilku minutach znów siedzieli w wozie, pogrążeni w wyobrażeniach o nowym, hojnym życiu.

Z początku wydawał się nieśmiały, więc pomyślała, że nie mieszkał z ośmioma osobami w jednej izbie na poddaszu, nie przywykł do cichych krzyków namiętności o brzasku, podobnych do piosenek domokrążców. Nie przypominało to w niczym opowieści Dorothei ani wygibasów, które wywoływały gromki śmiech Lydii, ani spółkowania jej rodziców w pośpiechu i z rozdrażnieniem. Czuła, że nie tyle ją bierze, ile nakłania.

„Moja północna gwiazda", tak ją nazywał.

Zaczęli powoli uczyć się siebie nawzajem: upodobań, nawyków porzucanych i nabywanych, sporów bez ulewania żółci, zaufania i prowadzenia rozmowy bez słów, co stanowi filar wieloletniej przyjaźni. Słaba religijność, która doprowadzała do wściekłości jej matkę, jego pozostawiała obojętnym. Nie zajmował stanowiska — sam oparł się naciskom, by wstąpił do zboru w wiosce, ale zgadzał się, by ona dała się przekonać, jeśli tego chce. Po kilku wizytach, gdy postanowiła więcej tam nie chodzić, jego zadowolenie było wyraźnie widoczne. Mogli polegać jedno na drugim bez reszty. Wystarczali sobie w pełni i nie potrzebowali nikogo trzeciego. A przynajmniej tak sądzili. Oczywiście miały narodzić się dzieci. I się narodziły. Gdy przyszła na świat Patrician, po każdym kolejnym porodzie Rebekka zapominała, że poprzednie dziecko odstawiła od piersi na długo przed czasem. Zapominała o cieknących nadal piersiach i o sutkach oblepionych zaschłym mlekiem, wrażliwych na dotyk bielizny. Zapominała również, jak krótka może być droga od kołyski do trumny.

Synowie umierali, mijały lata i Jacob doszedł do przekonania, że farma rozwija się w sposób zrównoważony, ale nie daje zysków. Zajął się handlem i zaczął podróżować. Jego powroty były zawsze radosnym wydarzeniem, przywoził mnóstwo nowin i zdumiewających historii: o srogim i zabójczym gniewie ludzi z miasta, gdy wojownicy z miejscowego plemienia śmiertelnie postrzelili jadącego konno pastora; o półkach sklepowych wypełnionych zwojami jedwabiu w kolorach, jakie widział jedynie w przyrodzie; o piracie przywiązanym do deski i wiezionym na szubienicę, który w trzech językach przeklinał tych, co go ujęli; o rzeźniku, którego obito za to, że sprzedawał zakażone mięso; o niesamowitym śpiewie chórów, który niósł się w deszczową niedzielę. W napięciu słuchała jego opowieści z podróży, a zarazem z coraz większym lękiem myślała o tym niespokojnym świecie gdzieś tam, przed którym tylko on mógł ją chronić. Gdy przywiózł jej młodą niewyuczoną pomocnicę, miał również podarunki. Lepszy nóż kuchenny, konika na kiju dla Patrician. Dopiero po jakimś czasie zauważyła, że opowieści jest coraz mniej, a podarunków coraz więcej, i to mało praktycznych, nawet dziwacznych. Srebrny serwis do herbaty natychmiast schowany; porcelanowy nocnik szybko wyszczerbiony przez nieostrożność; bogato zdobiona szczotka do włosów, które widział tylko w łóżku. Raz kapelusz, kiedy indziej koronkowy kołnierz. Cztery jardy jedwabiu. Rebekka dusiła w sobie pytania i uśmiechała się. Gdy wreszcie zapytała go, skąd ma tyle pieniędzy, rzekł: „Nowe układy" i wręczył jej lusterko w srebrnej oprawie. Zobaczywszy, jak pojawia się i znika w jego oczach błysk, gdy wypakowywał te skarby, zupełnie bezużyteczne na farmie, powinna była przewidzieć, że pewnego dnia Jacob zatrudni mężczyzn, żeby pomogli wyciąć szeroki pas drzew u stóp pagórka. Stawiał nowy dom. Coś godnego nie rolnika, nawet nie kupca, lecz ziemianina.

Jesteśmy zwykłymi dobrymi ludźmi, pomyślała, w miejscu, gdzie takie zapewnienie było nie tylko wystarczające, lecz wysoko cenione, a nawet mogło być uznane za przechwałkę.

— Nie potrzebujemy drugiego domu. A już na pewno nie tak dużego — odezwała się, skończywszy go golić.

— Potrzeba nie odgrywa tu roli, żono.

— W takim razie co, jeśli wolno spytać? — Usunęła resztki piany z ostrza.

— O mężczyźnie świadczy to, co po sobie zostawi.

— O mężczyźnie świadczy tylko jego reputacja, Jacobie.

— Wiedz, że będę go miał. — Wyjął ścierkę z jej rąk i wytarł brodę.

I tak się stało. Ludzie, taczki, kowal, drewno, szpagat, kotły ze smołą, młotki i konie pociągowe, z których jeden kopnął ich córkę w głowę. Budowa przebiegała tak gorączkowo, że Rebekka nie zwróciła uwagi na prawdziwą gorączkę, która zaprowadziła Jacoba do grobu. Ledwie zległ, wieść dotarła do baptystów i nikt z farmy, zwłaszcza Żałość, nie miał wstępu do ich wioski. Robotnicy wynieśli się, zabierając konie i narzędzia. Kowal odszedł dużo wcześniej, gdy wykuł swoje dzieło lśniące jak brama niebios. Rebekka wykonała polecenie Jacoba: zebrała kobiety i wspólnym wysiłkiem przeniosły go z łóżka na koc. Cały czas poganiał je chrapliwym głosem. Nie mogąc im pomóc siłą własnych mięśni, jeszcze za życia leżał jak nieżywy. Ciągnęły go w zimny wiosenny deszcz. Spódnice włóczone po błocie, chusty rozchylające się na piersi, czepki przemoknięte na wylot. Miały kłopot przy bramie. Musiały położyć go w błocie i we dwie rozewrzeć skrzydła, a potem odryglować drzwi do domu. Deszcz spływał mu po twarzy, więc Rebekka nachylała się nad nim, żeby go osłonić. Najsuchszy kawałek halki przytykała do jego twarzy jak najdelikatniej, żeby nie drażnić bolesnych wrzodów. Wreszcie weszły do głównej sali i położyły go z dala od otworu na okno, przez który wpadał deszcz. Rebekka pochyliła się nisko, by zapytać, czy nie chciałby wypić trochę cydru. Poruszył ustami, ale nie padła odpowiedź. Przesunął wzrok na coś lub kogoś nad jej ramieniem i wpatrywał się, aż zamknęła mu oczy. We czwórkę — ona, Lina, Żałość i Florens — usiadły na podłodze z desek. Chyba wszystkie myślały, że łzy, jeśli nie krople deszczu, spływają pozostałym po policzkach.

Rebekka nie sądziła, że się zarazi. Żaden z krewnych jej rodziców nie umarł w czasie plagi; chwalili się, że na ich drzwiach nie pojawił się czerwony krzyż, choć widzieli setki zabitych psów i pełne trupów wozy skrzypiące na błoniach. I dlatego to, żeby po odbyciu podróży do tego czystego świata, tej świeżej i nowej

Anglii, po poślubieniu masywnego, krzepkiego mężczyzny, tuż po jego śmierci leżeć z jątrzącymi się krostami pewnej wspaniałej wiosennej nocy, zakrawało na żart. Gratulacje, szatanie. Tak mówiła złodziejka sakiewek, ilekroć statek unosił się na falach i rzucał nimi, jak popadło.

— Bluźnisz! — krzyczała wtedy Elizabeth.

— To prawda! — odzywała się Dorothea.

Teraz wystawały w drzwiach albo klęczały przy jej łóżku.

— Już nie żyję — mówiła Judith. — Nie jest tak źle.

— Nie mów jej tego. To okropne.

— Nie słuchaj jej. Została żoną pastora.

— Napijesz się herbaty?

— Wyszłam za mąż za marynarza, więc ciągle jestem sama.

— Dorabia do jego zarobków. Zapytaj jak.

— Prawo tego zabrania.

— Pewnie, ale nie wprowadziliby takich przepisów, gdyby nie były im potrzebne.

— Posłuchaj, opowiem ci, co mi się przydarzyło. Poznałam mężczyznę...

Tak samo jak na statku ich głosy się zderzały. Przyszły ją uspokoić, ale jak wszystkie zjawy, interesowały się tylko sobą. Mimo to ich opowieści i uwagi budziły w niej ciekawość życia innych ludzi. No cóż, pomyślała, takie było prawdziwe znaczenie pocieszycieli Hioba. Leżał w rozpaczy, dręczony cierpieniem i moralnymi wątpliwościami; oni mówili mu o sobie, a gdy poczuł się jeszcze gorzej, dostał odpowiedź od Boga: za kogo ty się, u licha, uważasz? Mnie zadajesz pytania? Powiem ci pokrótce, kim jestem i co wiem. Hiob, bezradny i zagubiony, zapewne tęsknił przez chwilę za wyrachowanymi rozważaniami istot ludzkich. Jednak wejrzenie w boską wiedzę było mniej ważne niż skupienie na sobie uwagi Pana. A jedynie tego, uznała Rebekka, Hiob chciał przez cały czas. Nie dowodu Jego istnienia — tego nigdy nie podważał. Ani dowodu Jego mocy — wszyscy przyjmowali to do wiadomości. Po prostu chciał, by Bóg rzucił na niego okiem. Nie chodziło o to, żeby uznał go za godnego czy niegodnego, ale żeby dostrzegł go jako formę życia, którą stworzył i którą zniszczył. Bez żadnych targów; tylko blask cudowności.

Ale Hiob był przecież mężczyzną. Dla mężczyzn niewidzialność jest nie do zniesienia. Na co ośmieliłaby się uskarżać kobieta Hiob? I jeśli padłyby skargi, a Bóg raczyłby przypomnieć jej, że jest słaba i ciemna, czy to byłoby dla niej czymś nowym? Wstrząśnięty Hiob ukorzył się i ponownie dochowywał wierności Bogu, dowiedziawszy się tego, co kobieta Hiob wiedziała i słyszała w każdej minucie swego życia. Nie. Lepsza fałszywa pociecha niż jej brak, pomyślała Rebekka, i uważnie słuchała towarzyszek podróży morskiej.

— Dźgnął mnie nożem, wszędzie krew. Chwyciłam się wpół i pomyślałam: o nie! Nie trać przytomności, dziewczyno. Panuj nad sobą...

Gdy kobiety znikły, na jej spojrzenie odpowiedział księżyc podobny do zafrasowanego przyjaciela na niebie, a jego powierzchnia wyglądała jak suknia balowa wytwornej damy. Lina spała na podłodze, przy nogach łóżka, i cicho pochrapywała. W którymś momencie, na długo przed śmiercią Jacoba, szeroka, nieskrępowana przestrzeń, która niegdyś tak ją zachwycała, stała się pustką. Władczą i przytłaczającą nieobecnością. Rebekka poznała niuanse samotności: okropność koloru, ryk bezgłośności i grozę, jaką emanowały znajome przedmioty w bezruchu. Gdy Jacob wyjechał. Gdy nie wystarczała Patrician ani Lina. Gdy miejscowi baptyści wymęczyli ją gadaniem, które nigdy nie wykraczało poza ich opłotki, chyba że szło aż do nieba. Tamte kobiety wydawały jej się nudne, były przekonane, że są niewinne i dlatego wolne; bezpieczne, bo należą do Kościoła; twarde, bo wciąż utrzymują się przy życiu. Nowy naród przerobiony w naczyniach starych jak czas. Innymi słowy dzieci pozbawione dziecięcej radości i ciekawości. Upodobania Boga pojmowali jeszcze węziej niż jej rodzice. Prócz nich (i tak samo myślących, którzy wyrazili zgodę) nikt nie był zbawiony. Taką możliwość miała jednak większość, wyłączając dzieci Chama. Byli jeszcze papiści i plemiona Judy oraz różni inni żyjący rozmyślnie w błędzie, którzy nie mogli zaznać odkupienia. Odrzucając wykluczanie tych ludzi jako przykład ograniczeń występujących we wszystkich religiach, Rebekka żywiła osobistą urazę do baptystów. Z powodu ich dzieci. Ilekroć umarło któreś z jej własnych, powtarzała sobie, że to nieuznawanie chrztu w młodym wieku doprowadza ją do wściekłości. Ale tak naprawdę nie mogła znieść obecności ich nieumarłego, zdrowego potomstwa. Nie tyle z zawiści, ile z przekonania, że każde roześmiane, rumiane dziecko w tej społeczności jest dowodem jej porażki, drwiną z jej własnych dzieci. W każdym razie ani nie miała przyjemności z ich towarzystwa, ani wsparcia, gdy po wyjeździe Jacoba nagle dopadała ją i brała we władanie samotność. Bywało, że Rebekka pochylała się nad grządkami rzodkiewek i wyrywała chwasty równie zręcznie, jak karczmarka wrzuca monety do kieszeni fartucha. Chwasty dla bydła. I gdy tak stała w spływających promieniach słońca, trzymając rogi fartucha, nagle milkły przyjemne odgłosy z gospodarskiego obejścia. Zalegała cisza niczym śnieg padający dokoła jej głowy i ramion, rozpościerający się coraz szerzej na niesione wiatrem, choć bezszelestne liście, na dzwonki przy krowich szyjach, na stuk siekiery, którą Lina rąbała opodal drewno na opał. Skóra Rebekki robiła się czerwona, a potem zimna. W końcu dźwięki powracały, ale poczucie samotności nie opuszczało jej przez wiele dni. Aż wreszcie nadjeżdżał Jacob, wołając:

— Gdzie jest moja gwiazda?

— Tu, na północy — odpowiadała.

Rzucał jej wtedy pod nogi zwój perkalu albo wręczał paczkę igieł. Najbardziej lubiła, gdy wyjmował fajkę i wprawiał w zakłopotanie śpiewające ptaki, którym wydawało się, że mają w posiadaniu zmierzch. Żyjące jeszcze dziecko leżało na jej kolanach. Patrician siedziała na podłodze, z otwartymi ustami, z roziskrzonym wzrokiem, a Jacob przywoływał różane ogrody i pasterzy, których żadna nie widziała ani nigdy by się o nich nie dowiedziała. U jego boku koszty życia w samotności, poza Kościołem, nie były wysokie.

Któregoś razu, czując, jak pęcznieje z zadowolenia, pohamowała swój rozrost i uczucie nadmiernego błogostanu do tego stopnia, by pożałować Liny.

— Nigdy nie zaznałaś mężczyzny, prawda?

Siedziały w strumieniu, Lina trzymała niemowlę i spryskiwała mu wodą plecy, żeby usłyszeć jego śmiech. W ten upalny sierpniowy dzień zaniosły pranie nad potok, gdzie nie roiło się od much i ciętych komarów. Jeśli nie liczyć lekkiego kanoe, które mogło przepłynąć tuż przy drugim brzegu, nikt by ich tu nie zobaczył. Patrician przyklękła opodal, patrząc, jak jej pantalony kołyszą się na fali. Rebekka siedziała w bieliźnie, opłukując sobie szyję i ręce. Lina, naga jak trzymane na rękach niemowlę, podnosiła chłopca i opuszczała, przyglądając się, jak układają się jego włosy pod strugami wody. Po chwili położyła go sobie na ramieniu i zaczęła polewać mu plecy garściami wody.

— Jak to zaznałam, proszę pani?

— Wiesz, co mam na myśli, Lina.

— Wiem.

— No więc?

— Popatrz — pisnęła Patrician, wyciągając palec.

— Ciiii — szepnęła Lina. — Wystraszysz ich.

Za późno. Lisica z młodymi pomknęła gdzie indziej napić się wody.

— No więc? Zaznałaś?

— Raz.

— I jak?

— Niedobrze. Niedobrze, proszę pani.

— Dlaczego?

— Będę szła z tyłu. Będę po nim sprzątać. Ale nie będzie mnie bił. To nie.

Oddawszy niemowlę matce, Lina wstała i podeszła do krzaków malin, na których wisiała jej halka. Ubrała się, położyła kosz z praniem w zagięciu ręki i drugą wyciągnęła do Patrician.

Gdy Rebekka została sama z synem, który najbardziej ze wszystkich jej dzieci upodobał sobie ojca, zaczęła ponownie tego dnia rozkoszować się cudowną pomyślnością swego losu. Bicie żon było rozpowszechnione, to wiedziała, a zastrzeżenia — nie po dziewiątej wieczorem, nie bez powodu i nie w złości — dotyczyły tylko i wyłącznie żon. Czy on był Indianinem, ten kochanek Liny? Zapewne nie. Człowiekiem bogatym? A może zwykłym żołnierzem albo marynarzem? Rebekka miała podejrzenia, że raczej bogaczem, ponieważ znała życzliwych marynarzy, a szlachtę poznała z ciemnej strony, gdy przez krótki czas pracowała jako pomoc kuchenna. Poza matką nikt jej nigdy nie uderzył. Minęło czternaście lat, a ona nadal nie wiedziała, czy jej mama żyje. Kiedyś dostała wiadomość od kapitana, który był znajomym Jacoba. Półtora roku po tym, jak zlecono mu, żeby się rozpytał, doniósł, że jej rodzina się przeprowadziła. Nie wiadomo dokąd. Rebekka wyszła z potoku i położywszy syna na ciepłej trawie, zaczęła się ubierać, zastanawiając się przy tym, jak teraz wygląda jej matka. Posiwiała, przygarbiona, pomarszczona? Czy z jej bystrych bladych oczu wciąż bił spryt, podejrzliwość, której Rebekka nie znosiła? A może upływ lat i choroba sprawiły, że zmiękła, że stępiła się jej złośliwość.

Przykuta do łóżka skierowała pytanie pod inny adres. A ja? Jak ja wyglądam? Co widać teraz w moich oczach? Trupią czaszkę i skrzyżowane piszczele? Wściekłość? Rezygnację? Natychmiast chciała je mieć — lusterko od Jacoba, które po cichu znów zapakowała i schowała w bieliźniarce. Jakiś czas trwało nakłanianie Liny, a gdy ta w końcu pojęła i włożyła jej lusterko między dłonie, Rebekka się skrzywiła.

— Przepraszam — wymamrotała. — Bardzo przepraszam.

Brwi były już wspomnieniem, jasny róż jej policzków zebrał się w ognistoczerwone pączki. Z wolna przesuwała wzrokiem po twarzy, łagodnym tonem przepraszając.

— Oczy, kochane oczy, wybaczcie. Nosie, biedne usta. Biedne, słodkie usta, przepraszam. Uwierz mi, skóro, ogromnie przepraszam. Proszę. Wybaczcie mi.

Lina, nie mogąc wyjąć lusterka z jej rąk, błagała:

— Pani. Dość już. Dość.

Rebekka nie chciała wypuścić lusterka.

Och, taka była kiedyś szczęśliwa. Taka hoża. Jacob w domu, zajęty planami nowej siedziby. Wieczory, gdy on był zmęczony, a ona wyczesywała mu włosy do czysta; ranki, gdy je wiązała. Uwielbiała jego wilczy apetyt i cieszyła się, że z dumą chwalił jej gotowanie. Kowal, który budził niepokój wszystkich prócz niej samej i Jacoba, niczym kotwica utrzymywał małżonków w miejscu na niepewnych wodach. Lina bała się go. Żałość okazywała mu psią wdzięczność. A Florens, biedna Florens, straciła dla niego głowę. Można było liczyć, że z tych trzech tylko ona dotrze do celu. Lina błagałaby, żeby jej nie posyłać, oczywiście nie chciała zostawiać chorej, choć silniejsza była pogarda dla niego. Głupia ciężarna Żałość nie mogła pójść. Rebekka pokładała zaufanie we Florens, ponieważ dziewczyna była mądra i miała istotny powód, by wykonać polecenie. Poza tym darzyła Florens wielką sympatią, choć przyszło to dopiero z upływem czasu. Jacob prawdopodobnie sądził, że sprawi jej przyjemność, dając do pomocy dziewczynę prawie w wieku Patrician. Tak naprawdę obraził ją. Nic nie mogło i nie powinno zastąpić pierwowzoru. Wobec tego ledwie rzuciła okiem na nowo przybyłą, a potem nie miała takiej potrzeby, bo Lina wzięła dziecko całkowicie pod swoje skrzydła. Z czasem Rebekka zmiękła, rozluźniła się, nawet była rozbawiona, widząc, jak bardzo Florens stara się zyskać aprobatę. „Dobrze się spisałaś". „Jest świetnie". Każde życzliwe słowo, choćby błahe, pożerała jak królik marchewkę. Jacob powiedział, że była niepotrzebna matce, co tłumaczyło, uznała Rebekka, dlaczego tak się starała zadowolić innych. Również tłumaczyło jej przywiązanie do kowala, bieganie do niego truchtem z byle powodu, wpadanie w popłoch, żeby tylko dostał jedzenie na czas. Jacob bagatelizował gniewne spojrzenia Liny i promienne uśmiechy Florens: kowal niedługo stąd odejdzie, mówił. Nie ma się co martwić, poza tym człowiek jest zbyt wprawny i cenny, żeby się go pozbywać, a już na pewno nie z powodu dziewczyny, która wodzi za nim rozmarzonym wzrokiem. Naturalnie Jacob miał rację. Kowal stał się bezcenny, gdy wyleczył Żałość z tego, co ją powaliło. Tylko prosić Boga, żeby ten człowiek jeszcze raz dokonał takiego cudu. I żeby Florens udało się go namówić. Wsadziły jej na nogi dobre, mocne buty. Jacoba. I włożyły do środka pełnomocnictwo z wyjaśnieniami. I dały jasne wskazówki, którędy iść.

Wszystko będzie dobrze. Tak samo jak znikło brzemię bezdzietności związane z napadami osamotnienia, jak rozpłynął się śnieg, który je zapowiadał. Tak samo jak przestał ją trapić upór Jacoba, by zdobyć pozycję w świecie. Uznała, że zadowolenie z posiadania więcej i więcej nie jest chciwością, nie wynika z pożądania samych rzeczy, lecz z przyjemności gromadzenia. Bez względu na to, jaka była prawda i co nim powodowało, Jacob był tu. Razem z nią. Oddychał, leżąc obok niej w łóżku. Dotykał jej nawet przez sen. A potem nagle go nie było.

Czy anabaptyści mieli rację? Czy szczęście było urokiem rzuconym przez szatana, jego zwodniczym oszustwem? Czy jej oddanie było takie mizerne, że stało się tylko przynętą? Jej niezmienna samowystarczalność — jawnym bluźnierstwem? Czy dlatego, gdy osiągnęła pełnię zadowolenia, śmierć ponownie spojrzała w jej stronę? Z uśmiechem? Jej towarzyszki podróży, jak się zdaje, poradziły sobie z tym. Jak wynikało z ich wizyt, cokolwiek przyniosło życie, jakiekolwiek przeszkody pojawiły się na ich drodze, te kobiety zręcznie manipulowały sytuacją z pożytkiem dla siebie i ufały swojej wyobraźni. Baptystki pokładały ufność w czym innym. W przeciwieństwie do jej towarzyszek podróży ani nie rzucały wyzwania, ani nie stawiały czoła zmienności życia. Przeciwnie — rzucały wyzwanie śmierci. Rzucały wyzwanie śmierci, żeby je zniszczyła, miały śmiałość udawać, że życie doczesne to już wszystko; że poza nim nie ma nic; że cierpienie nie jest zasługą i z całą pewnością nie spotka się z nagrodą; nie przyjmowały tego, co było pozbawione znaczenia i przypadkowe. To, co ekscytowało i mobilizowało towarzyszki podróży, przerażało członkinie Kościoła; w rezultacie jedne widziały w drugich głęboką, groźną skazę. Dzieliły je poglądy, ale łączyło jedno przekonanie: mężczyźni są nadzieją i zagrożeniem. Dają poczucie bezpieczeństwa i niepewności, twierdziły zgodnie. I jedne, i drugie pogodziły się z tym. Takie jak Lina, którym przynieśli zarówno ratunek, jak i ruinę, zamknęły się w sobie. Takie jak Żałość, które najwyraźniej nigdy nie uczyły się od kobiet, stały się ich zabawką. Inne, jak towarzyszki podróży, walczyły z nimi. Jeszcze inne, te pobożne, były im posłuszne. A sporo takich jak ona sama, zaznawszy odwzajemnionej miłości, zachowywało się jak dzieci, gdy mężczyzna odszedł. Nie mając pozycji ani nie mogąc oprzeć się na męskim ramieniu, bez pomocy rodziny lub osób życzliwych, wdowa była w praktyce pozbawiona praw. Ale czy nie tak powinno być? Adam pierwszy, Ewa następna i do tego, zdezorientowana co do roli, jaką odgrywa, pierwsza wyjęta spod prawa?

Anabaptyści dobrze się w tym rozeznawali. Adam (podobnie jak Jacob) był dobrym człowiekiem, ale (w przeciwieństwie do Jacoba) uległ podstępnym namowom swej towarzyszki. Ponadto uważali, że są zakresy dopuszczalnego zachowania i prawego myślenia. Poziomy grzechu, innymi słowy, oraz narody mniejszego formatu. Indianie i Afrykanie na przykład mogli zaznać łaski, ale nie mieli wstępu do nieba — a niebo anabaptyści znali równie dobrze jak własne ogrody. Życie pozagrobowe było więcej niż boskie; przyprawiało o dreszcze emocji. Nie błękitno-złoty raj z pieśniami pochwalnymi przez okrągłą dobę, lecz prawdziwe życie pełne przygód, w którym wszystkie wybory były doskonałe i wszystkie decyzje doskonale wykonane. Jak to się wyraziła kobieta ze zboru, z którą kiedyś rozmawiała? Będzie tam muzyka i ucztowanie, zabawa na wolnym powietrzu i jazda na wozie z sianem. Igraszki. Spełnienie marzeń. I może, jeśli Rebekka okaże prawdziwą wierność Kościołowi i niezmienną pobożność, Bóg użali się nad jej dziećmi i przyjmie je do siebie, mimo że z powodu młodego wieku nie przyjęły chrztu przez całkowite zanurzenie. Ale co najważniejsze, będzie tam czas. Mnóstwo czasu. Czas, żeby rozmawiać ze zbawionymi, żeby się z nimi śmiać. Nawet jeździć na łyżwach na zamarzniętych stawach, a potem grzać ręce przy ogniu na brzegu. Będą dzwoniły sanie, dzieci będą budowały domki ze śniegu i bawiły się obręczami na łące, pogoda bowiem będzie tam taka, jakiej sobie zażyczysz. Wyobrażasz sobie? Nie ma chorób. W ogóle. Nie ma bólu. Nie przychodzi starość ani różnego rodzaju słabości. Żadnych strat ani żalu czy łez. No i oczywiście nie umiera się, nawet gdyby gwiazdy roztrzaskały się na drobne kawałki i księżyc rozpadł się jak zwłoki na dnie morza.

Musiała tylko przestać myśleć i uwierzyć. Suchy język w ustach Rebekki zachowywał się jak małe zabłąkane zwierzątko. I choć zdawała sobie sprawę, że ma mętlik w głowie, była zarazem przekonana, że myśli jasno. Gdy uprzytomniła sobie, że razem z Jacobem rozmawiali kiedyś i sprzeczali się na te tematy, poczucie straty stało się nie do zniesienia. Bez względu na to, jaki miał humor i nastawienie, był towarzyszem, co się zowie.

Teraz, pomyślała, nie pozostał nikt prócz służących. Doskonały mąż odszedł i został pochowany przez kobiety, które opuścił; dzieci — różowawe chmurki na niebie. Żałość wystraszona, co ją czeka, gdy umrę, i powinna się bać, tępa dziewczyna skażona życiem na statku widmie. Tylko Lina zachowała spokój, nieugięta w każdym nieszczęściu, tak jakby wszystko już widziała i przeżyła. Jak tamtego drugiego roku, gdy Jacob wyjechał i szalała zamieć niezwyczajna o tej porze, a ona, Lina i Patrician po dwóch dniach były bliskie śmierci głodowej. Wszystkie szlaki i drogi nieprzebyte. Patrician siniała, choć w dołku na klepisku paliło się nędzne, wysuszone łajno. To Lina ubrała się wtedy w skóry, wzięła kosz i siekierę i przedzierając się przez wysokie do ud zaspy i otępiający wiatr, dotarła do rzeki. Wyciągnęła spod lodu tyle zamarzniętego łososia, by każda miała co jeść; włożyła ryby do koszyka i powiesiła go na warkoczu, żeby nie odmrozić sobie rąk w drodze powrotnej.

Taka była Lina. A może to był Bóg? Zanurzona w bezdennym poczuciu straty Rebekka zastanawiała się, czy podróż do tego kraju, wymarcie jej rodziny, w istocie całe jej życie — czy to nie były przystanki na drodze do objawienia. Albo do wiecznego potępienia? Skąd może wiedzieć? I teraz, gdy z ust śmierci pada jej imię, do kogo powinna się zwrócić? Do kowala? Do Florens?

Jak długo to potrwa czy on tam będzie czy ona zabłądzi czy ktoś na nią napadnie czy ona wróci czy on przyjdzie a może jest już za późno? Na wybawienie.

Ś pię i budzę się na każdy dźwięk. Potem śni mi się, że w moją stronę idą drzewa wiśniowe. To na pewno sen, bo są obsypane liśćmi i owocami. Nie wiem, czego chcą. Popatrzeć? Dotknąć? Jedno z nich pochyla się i wtedy budzę się z cichym krzykiem. Nic się nie zmienia. Drzewa nie są ciężkie od wiśni ani nie podchodzą do mnie. Uspokajam się. To lepszy sen niż tamte o minha mãe, która stoi obok ze swoim małym. W tamtych zawsze chce mi coś powiedzieć. Otwiera szeroko oczy. Porusza ustami. Odwracam od niej głowę. Następne spanie jest głębokie.

Budzi mnie nie śpiew ptaków, ale słońce. W ogóle nie ma już śniegu. Załatwienie się sprawia mi trudność. Potem idę chyba na północ albo może też na zachód. Nie, na północ, aż krzaki zagradzają mi drogę, czepiają się i przytrzymują. Wśród młodych drzew ciągną się szeroko jeżyny wysokie po pas. Długo przedzieram się przez gąszcz i dobrze robię, bo raptem mam przed sobą otwartą łąkę pełną słońca i zapachu ognia. To miejsce pamięta obejmujące je płomienie. Idę po świeżej trawie, głębokiej, gęstej, delikatnej jak owcza wełna. Pochylam się, żeby jej dotknąć, i przypominam sobie, jak Lina z upodobaniem rozplątuje mi włosy. Śmieje się przy tym i mówi, że świadczą o tym, że jestem w rzeczywistości owieczką. A ty, pytam ją. Koniem, odpowiada i potrząsa grzywą. Godzinami idę przez to słoneczne pole i tak chce mi się pić, że prawie mdleję. W oddali widzę jasny brzozowy las i jabłonie. Młode listki rzucają zielony cień. Mówienie ptaków niesie się dokoła. Chcę wejść do lasu, bo tam może być woda. Przystaję. Słyszę odgłos kopyt. Spośród drzew wyjeżdżają stuk, stuk ludzie na koniach, w moją stronę. Sami mężczyźni, sami Indianie, sami młodzi. Niektórzy chyba młodsi ode mnie. Żaden nie ma siodła. Ani jeden. Patrzę na to z zachwytem, na ich lśniącą skórę, ale również jest we mnie strach. Tuż przede mną powściągają konie. Okrążają mnie. Uśmiechają się. Cała się trzęsę. Mają miękkie buty, ale konie nie są podkute, włosy koni i chłopców są długie i luźne jak Liny. Mówią nieznane mi słowa i się śmieją. Jeden wkłada palce do ust, wsuwa i wysuwa, wsuwa i wysuwa. Pozostali śmieją się jeszcze bardziej. On też. Potem zadziera głowę, otwiera szeroko usta i podnosi kciuk do ust. Padam na kolana z rozpaczy i ze strachu. Tamten zsiada z konia i podchodzi do mnie. Czuję zapach jego włosów. Ma skośne oczy, nie duże i okrągłe jak Lina. Z szerokim uśmiechem zdejmuje woreczek przewieszony na sznurku przez pierś. Podaje mi, a ja tak dygoczę, że nie mogę wyciągnąć ręki, więc on upija łyk i znowu podaje mi woreczek. Chce mi się pić, umieram z pragnienia, ale nie mogę się ruszyć. Tylko otwieram szeroko usta. Tamten podchodzi bliżej i leje wodę. Połykam łapczywie. Któryś z pozostałych mówi bee bee bee jak koziołek, na co wszyscy parskają śmiechem i klepią się po udach. Tamten zatyka woreczek i widząc, że wycieram brodę, zawiesza go z powrotem na ramieniu. Potem z pasa poniżej talii wyjmuje coś podłużnego i ciemnego, podaje mi i porusza szczękami. Wygląda jak skóra, ale biorę. A wtedy on odbiega i wskakuje na konia. Dla mnie wstrząs. Możesz sobie wyobrazić? Biegnie po trawie, ulatuje w górę i siada okrakiem na koniu. Mrugam i wszyscy znikają. Na ich miejscu nie ma nic. Tylko jabłonie z nabrzmiałymi boleśnie pąkami i niosący się echem śmiech chłopców.

Kładę ciemny pasek na języku. Rzeczywiście, skóra. Choć ma słony, ostry smak, bardzo pokrzepia twoją dziewczynę.

Dalej zmierzam na północ przez las, śladem kopyt koni daleko w przodzie. Jest ciepło, coraz cieplej. Ale od ziemi wciąż czuć wilgoć, chłodną rosę. Na siłę zapominam, jak to my jesteśmy na mokrej ziemi, i myślę za to o świetlikach w wysokiej, suchej trawie. Przy tylu gwiazdach jest jak w dzień. Zasłaniasz mi ręką usta i nikt nie słyszy, że przepełniona rozkoszą budzę kury. Cicho. Cicho. Nikt nie może się dowiedzieć, ale Lina wie. Uważaj, mówi do mnie. Leżymy w hamakach. Dopiero co wracam od ciebie z bólem grzechu i oczekiwaniem na więcej. Pytam Linę, o co jej chodzi. Mówi, że jest tu tylko jeden głupiec, ale to nie ona, więc powinnam uważać. Nie odpowiadam, bo chce mi się spać i nie mam ochoty. Wolę myśleć o tym miejscu pod twoją szczęką, gdzie szyja styka się z kością, o małym zagięciu na tyle głębokim, że mieści się czubek języka, ale nie większym niż jajko przepiórki. Właśnie zapadam w sen, gdy słyszę jej głos. Rum, mówi, powiedziałam sobie to przez rum. Za pierwszym razem tylko przez rum, bo mężczyzna wielce uczony i z wysoką pozycją w mieście nigdy tak by się nie zhańbił na trzeźwo. Rozumiem, mówi, rozumiem i podporządkowuję się, bo trzeba zachować to w tajemnicy, więc kiedy on wraca do domu, nigdy nie patrzę mu w oczy. Patrzę tylko, czy ma słomkę w ustach, mówi dalej, albo czy między drzwi a futrynę jest wetknięty kij na znak, że spotkamy się tego wieczora. Odchodzi ode mnie senność. Siadam i spuszczam nogi z hamaka. Powrozy trzeszczą, kiwają się. W jej głosie jest coś, co nie daje mi spokoju. Coś dawnego. Coś ciętego. Spoglądam na nią. Jasne gwiazdy, blask księżyca wystarczają, żeby zobaczyć twarz, ale nie jej wyraz. Ma rozpuszczony warkocz, pasemka włosów przechodzą przez plecionkę hamaka. Mówi, że jest bez klanu, pod władzą Europa. Ani drugim razem, ani trzecim nie ma rumu, ale wtedy on używa płaskiej dłoni, gdy jest zagniewany, gdy znajduje małego robaka w duszonym mięsie albo gdy kapnęło jej trochę nafty na jego bryczesy. Aż nadchodzi dzień, gdy używa najpierw pięści, a potem bata. Hiszpańska moneta wypada przez dziurę w kieszeni fartucha i nie można jej znaleźć. On nie chce jej darować. Mam już czternaście lat i powinnam mieć rozeznanie, mówi dalej. I teraz to wiem, dodaje. Mówi mi, jak to jest, gdy idziesz przez miasto i wycierasz krwawiący nos palcami, gdy oczy ci się zamykają i potykasz się, a ludzie sądzą, że jesteś upita, jak wielu Indian, i upominają. Prezbiterianie gapią się na jej twarz, na krew rozmazaną na ubraniu, bez słowa. Idą do drukarza i wystawiają ją na sprzedaż. Nie wpuszczają jej do domu, więc tygodniami śpi, gdzie popadnie, i je to, co zostawiają jej w misce na ganku. Jak pies, mówi. Jak pies. A potem pan dokonuje kupna, ale nim to się stanie, ona łapie dwa koguty, ukręca im łby i wsadza do butów swego kochanka. Od tej chwili każdy krok prowadzi go do wiecznej zguby.

Posłuchaj mnie, mówi. Jestem w twoim wieku, gdy odczuwam tylko głód ciała, tylko ten. Mężczyźni mają dwojaki głód. Dziób, który służy do wyczesywania, może również kłuć. Powiedz mi, mówi, co będzie, gdy on skończy tu pracę. Zastanawiam się, mówi, czy on zabierze ciebie ze sobą.

Ja się nad tym nie zastanawiam. Ani wtedy, ani w ogóle. Wiem, że nie możesz mnie wykraść, wziąć ślubu też nie. I jedno, i drugie jest wbrew prawu. Przede wszystkim wiem, że marnieję, gdy odchodzisz, i prostuję się, gdy pani wysyła mnie do ciebie. Wypełnianie polecenia nie jest uciekaniem.

Myślenie o takich rzeczach prowadzi mnie dalej i nie daje kłaść się na ziemi i pozwalać sobie na sen. Jestem wymęczona i spragniona wody.

Dochodzę do miejsca, gdzie krowy pasą się między drzewami. Skoro w lesie są krowy, niedaleko jest farma albo wieś. Ani pan, ani pani nie puszczają swoich kilku zwierząt samopas. Grodzą łąkę, bo chcą mieć gnój, a nie kłótnie z sąsiadami. Pani mówi, że pan mówi, że wypasanie na łące niedługo zniknie i dlatego musi się zająć czym innym, bo z roli nigdy się nie nastarczy w tych okolicach. Już same meszki odbiorą farmerom wszelką nadzieję, jeśli nie zagarnie ziemi dzika natura. Gospodarstwa żyją lub umierają zależnie od życzeń owadów i kaprysów pogody.

Widzę ścieżkę, więc idę tamtędy. Prowadzi do wąskiego mostu obok koła młyńskiego na strumieniu. Skrzypiące koło i pędząca woda dają kształt ciszy. Kury śpią, psy zakazane. Zbiegam ze skarpy i piję prosto ze strumienia. Woda smakuje jak świecowy wosk. Wypluwam kawałki słomy, które z każdym łykiem wpływają mi do ust, i wracam na ścieżkę. Muszę się gdzieś schronić. Słońce się chowa. Widzę dwie chaty. W obu są okna, ale nie świecą lampy. Są jeszcze małe jakby stajnie, do których światło dzienne wpada tylko przez otwarte drzwi. Ani jedne nie są otwarte. W powietrzu nie czuć dymu z kuchni. Myślę, że wszyscy gdzieś poszli. Po chwili widzę małą wieżę na pagórku za wsią i już wiem, że ludzie odmawiają wieczorne modły. Decyduję się zapukać do największego domu, bo będzie tam służba. Gdy podchodzę, spoglądam przez ramię i kawałek dalej widzę światło. To jedyny oświetlony dom w wiosce, więc postanawiam tam zajść. Ciężko mi się idzie po kamieniach, lak wbija się w stopę. Zaczyna padać deszcz. Drobny. Powinien słodko pachnieć, gdy spływa po platanach, ale czuję spaleniznę, jak przy opalaniu drobiu z resztek piór przed gotowaniem.

Ledwie pukam, otwiera drzwi kobieta. Jest dużo wyższa od pani czy Liny i ma zielone oczy. Reszta to brązowa sukienka i biały czepek z brzegiem rudych włosów. Jest nieufna, wyciąga otwartą dłoń w moją stronę, jakbym wdzierała się do środka. Kto cię przysyła, pyta. Proszę pani, mówię. Mówię, że jestem sama. Nikt mnie nie przysyła. Szukam schronienia. Wychyla się za drzwi, patrzy w lewo i w prawo, pyta, czy nie mam opieki, czy ktoś mi towarzyszy. Mówię nie, proszę pani. Mruży oczy i pyta, czy jestem z tego świata, czy skądinąd. Ma surową twarz. Mówię, że z tego świata. Innego nie znam, proszę pani. Chrześcijanka czy poganka, pyta. Nigdy nie poganka, mówię. Choć może słyszę mojego ojca. A gdzie on przebywa, dopytuje się. Pada coraz bardziej. Zataczam się z głodu. Mówię, że go nie znam, a matka nie żyje. Jej twarz łagodnieje, kobieta kiwa głową i mówi sierota, możesz wejść.

Wymienia swoje nazwisko, wdowa Ealing, ale nie pyta, jak się nazywam. Wybacz, mówi, tu grozi człowiekowi niebezpieczeństwo. Co grozi, pytam. Zło, mówi, ale się nie przejmuj.

Staram się jeść powoli, ale nic z tego. Maczając twardy chleb w cudownym, ciepłym kleiku jęczmiennym, podnoszę głowę tylko raz, żeby powiedzieć dziękuję, gdy kobieta dolewa mi do miski. Obok kładzie garść rodzynek. W tej dość dużej izbie jest palenisko,

stół, zydle i dwa miejsca do spania: posłanie w alkowie
i legowisko na podłodze. Znajduje się tam dwoje zamkniętych drzwi prowadzących do dalszych pomieszczeń
i coś podobnego do szafy, wnęka, w tylnej części, gdzie
są dzbanki i miski. Gdy zaspokajam głód, dopiero wtedy
widzę dziewczynę na słomie w alkowie. Pod głową
ma zwinięty w rulon koc. Jednym okiem patrzy w bok,
drugim prosto, nieruchomo jak wilczyca. Oczy są czarne jak węgiel, w ogóle niepodobne do oczu wdowy.
Wydaje mi się, że powinnam trzymać język za zębami,
no to jem dalej i czekam, aż któraś się odezwie. W nogach posłania leży kosz, a w nim koźlę tak chore, że
nie piśnie ani nie podniesie łba. Gdy zjadam wszystko
do ostatniej rodzynki, wdowa pyta, dokąd wędruję
samotnie. Mówię, że spełniam polecenie mojej pani.
Wdowa krzywi się i powiada, że to musi być ważna
sprawa, żeby narażać życie kobiety, wysyłając ją w te
strony. Moja pani umiera, mówię. Wykonuję polecenie,
żeby ją ratować. Wdowa marszczy brwi i patrzy na
palenisko. Nie od pierwszej śmierci, powiada. Może
od drugiej.

Nie rozumiem tych słów. Wiem, że nie ma dwóch
śmierci, jest tylko jedna, a po niej wiele żywotów.
Pamiętasz te sowy za dnia? Od razu wiemy, kim są.
Ty wiesz, że ta jasna to twój ojciec. A ja chyba wiem,
kim są pozostałe.

Leżąca na słomie dziewczyna unosi się na łokciu. To śmierć, po którą tu przychodzimy, odzywa się. Ma głęboki głos jak mężczyzna, choć zdaje się w moim wieku. Wdowa Ealing nie odpowiada, a ja nie chcę już patrzeć na te oczy. Dziewczyna znów się odzywa. Żadne wychłostanie tego nie zmieni, powiada, choć mam rozdarte na strzępy ciało. Potem wstaje i utykając, pochodzi do stołu, na którym pali się lampa. Trzyma ją na wysokości pasa i unosi warstwy spódnic. Widzę ciemną krew, jak spływa wartkimi strumykami po nogach. W świetle padającym na jej jasną skórę rany przypominają żywe klejnoty.

To moja córka Jane, mówi wdowa. Te razy mogą uratować jej życie.

Jest już późno, powiada wdowa. Przyjdą najwcześniej rano. Zamyka okiennice, zdmuchuje płomień i klęka przy legowisku. Córka Jane wraca na posłanie ze słomy. Wdowa modli się cicho. Ciemność jest tu głębsza niż w oborze, gęstsza niż w lesie. Przez żadną szparę nie wpada światło księżyca. Leżę blisko chorego koźlęcia i paleniska, sen pryska, gdy dolatują ich głosy. Najpierw długa cisza, potem słychać rozmowę. Rozpoznaję je nie tylko po tym, skąd dochodzą, ale także dlatego, że wdowa Ealing wymawia słowa inaczej niż jej córka. Bardziej śpiewnie. Stąd wiem, że córka Jane pyta, jak dowiodę, że nie jestem demonem, a wdowa mówi pst to oni przesądzą. Cisza. Cisza. Potem znów się odzywają, na przemian. Zależy im na pastwisku, matko. No to dlaczego nie ja? Ty możesz być następna. Co najmniej dwie osoby twierdzą, że widziały Czarnego Człowieka, który... Wdowa Ealing urywa, milczy jakiś czas, a potem mówi dowiemy się rano. Pozwolą mi zostać, mówi córka Jane. Rozmawiają szybko. Oni mają wiedzę, ja znam prawdę, prawdę zna Bóg, no to jaki śmiertelnik może mnie osądzać, mówisz jak Hiszpan, posłuchaj, proszę, posłuchaj, bądź cicho, bo On cię usłyszy, On mnie nie opuści, ani ja, jednak ty poraniłaś mnie do krwi, ile razy trzeba ci powtarzać demony nie krwawią.

Ani razu mi tego nie mówisz, a dobrze to wiedzieć. Jeśli moja matka żyje, może ona uczy mnie tych rzeczy.

Pewnie tylko ja zapadam w sen. Budzę się zawstydzona, bo na powietrzu już ryczą zwierzęta. Koźlę cicho beczy, gdy wdowa bierze je na ręce i wynosi na dwór, żeby possało matkę. Po powrocie odmyka okiennice obu okien i zostawia drzwi otwarte na oścież. Człapią dwie gęsi, za nimi kroczy kura. Druga wlatuje przez okno i dołącza do tamtych w poszukiwaniu odpadków. Pytam, czy mogę skorzystać z szafki z nocnikiem za konopną zasłonką. Załatwiam się i gdy wychodzę stamtąd, widzę, że córka Jane trzyma ręce przy twarzy, a wdowa otwiera rany na jej nogach. Pręgi pokryte świeżą krwią lśnią wśród zaschniętych. Koza wchodzi do izby, skubie i skubie słomę, tymczasem córka Jane pojękuje. Po wykonaniu krwawych czynności w zadowalający ją sposób wdowa wypycha kozę za drzwi.

Przy stole, gdzie jest chleb i zsiadłe mleko na śniadanie, wdowa i córka Jane składają dłonie, pochylają głowy i mamroczą. Też tak robię, szepcząc modlitwę, tak jak nauczył mnie wielebny ojciec, każąc odmawiać rano i wieczorem, i jak powtarzała ze mną matka. Pater noster... Na koniec unoszę rękę do czoła i widzę zmarszczone brwi córki Jane. Kręci głową na znak, żeby nie. No to udaję, że poprawiam sobie czepek. Wdowa dodaje łyżkę dżemu do mleka i we dwie zaczynamy jeść. Córka Jane nie chce jeść, więc zjadamy to, co zostawia. Potem wdowa podchodzi do paleniska i zawiesza czajnik nad ogniem. Zbieram miski i łyżki ze stołu i idę z nimi do wnęki, gdzie na wąskiej ławce stoi miednica z wodą. Ostrożnie płuczę i wycieram każdą rzecz. W powietrzu czuć napięcie. Woda gotuje się w czajniku nad paleniskiem. Odwracam się i widzę, że para kłębi się na tle kamieni i tworzy różne kształty. Jeden przypomina łeb psa.

Wszystkie słyszymy odgłosy kroków na ścieżce pod górę. Wciąż zmywam we wnęce i choć nie widzę, kto wchodzi, słyszę rozmowę. Wdowa prosi przybyłych, żeby usiedli. Odmawiają. Mężczyzna mówi, że to są wstępne działania, ale świadków jest wielu. Wdowa przerywa mu, tłumacząc, że oko córki jest krzywe, tak jak stworzył je Bóg, i nie ma żadnych szczególnych mocy. I spójrzcie, mówi, spójrzcie na jej rany. Syn Boży krwawi. My krwawimy. Demony nie.

Wchodzę do izby. Stoi tam mężczyzna, trzy kobiety i mała dziewczynka, która wygląda jak ja, gdy matka mnie odprawia. Jaka słodka, myślę, a wtedy ona krzyczy i chowa się za spódnice jednej z kobiet. Każdy z przybyłych kieruje na mnie wzrok. Kobietom zapiera dech. Laska mężczyzny upada z łoskotem na podłogę, przez co pozostała w izbie kura zaczyna gdakać i trzepotać skrzydłami. Mężczyzna podnosi laskę, wskazuje nią na mnie i pyta a któż to? Jedna z kobiet zasłania sobie oczy, mówiąc dopomóż nam Boże. Dziewczynka zawodzi, kiwając się w przód i w tył. Wdowa macha rękami i wyjaśnia, że ona jest gościem i szuka w nocy schronienia. Przyjmujemy ją i dajemy jej jeść, jakżeby inaczej. Której nocy, pyta mężczyzna. Tej ostatniej, mówi wdowa. Któraś kobieta odzywa się nigdy w życiu nie widziałam takiego czarnego, człowieka. A ja widziałam też takich czarnych wtrąca druga. Ona jest Afrykaną. Afrykaną i nie tylko, dodaje trzecia. Wystarczy spojrzeć na to dziecko, mówi pierwsza. Wskazuje stojącą przy niej dziewczynkę, rozdygotaną i zapłakaną. Posłuchajcie jej. Tylko posłuchajcie. A zatem to prawda, mówi inna. Czarny Człowiek znajduje się między nami. Ona jest jego posłańcem. Dziewczynki nijak nie można pocieszyć. Kobieta, którą trzyma za spódnice, wyprowadza ją na dwór i tam dziewczynka szybko się uspokaja. Rozumiem z tego tylko to, że grozi mi niebezpieczeństwo, co pokazuje psi łeb, i jedynie pani może mnie uratować. Poczekajcie, krzyczę. Panie, proszę. Chyba są zdziwieni, że umiem mówić. Zobaczcie mój list, mówię już spokojniej. Będziecie mieć dowód, że prócz mojej pani nie jestem niczyim posłańcem. Migiem zdejmuję but i zwijam pończochę. Kobiety otwierają szeroko usta, mężczyzna odwraca głowę i po chwili wolno kieruje wzrok na mnie. Wyjmuję list od pani i wyciągam rękę. Nikt nie chce go dotknąć. Mężczyzna każe położyć list na stole, ale boi się złamać pieczęć. Nakazuje to wdowie. Ta rozkrusza wosk paznokciami, a następnie rozkłada papier. Jest tak gruby, że nie chce leżeć płasko. Wszyscy, również córka Jane, która podnosi się z posłania, gapią się na znaczki pokrywające stronicę od góry do dołu. To pewne, że tylko mężczyzna umie czytać. Końcem laski odwraca list właściwym brzegiem do góry i przytrzymuje laską, jakby papier mógł ulecieć albo bez ognia zamienić się w popiół na jego oczach. Pochyla się nisko i bacznie się przygląda. Po chwili podnosi list i czyta na głos.

*Ja, niżej podpisana pani Rebekka Vaark z Mil-*
*ton, ręczę za kobietę, w której posiadaniu jest ten*
*list. Ta kobieta należy do mnie i można ją rozpo-*
*znać po bliźnie po oparzeniu na lewej dłoni.*
*Proszę okazać jej uprzejmość i umożliwić bez-*
*pieczną podróż oraz zapewnić wszystko, co będzie*
*jej potrzebne do wykonania polecenia. Nasze*
*życie, moje życie na tej ziemi zależy od jej rych-*
*łego powrotu.*
*Pani Rebekka Vaark z Milton*
*18 maja 1690*

Zapada cisza, w której słychać tylko lekkie wes-
tchnienie córki Jane. Mężczyzna patrzy na mnie, na
list, znów na mnie i znów na list. Jeszcze raz na mnie
i jeszcze raz na list. No widzisz, powiada wdowa. Nie
zważając na nią, mężczyzna zwraca się do dwóch kobiet
i coś do nich szepcze. Wskazują mi drzwi prowadzące
do komory, gdzie przechowuje się kołowrotek i skrzynki podróżne, i tam każą zdjąć ubranie. Nie dotykają
mnie, tylko mówią, co mam robić. Pokazać zęby, potem
język. Ze zmarszczonymi brwiami patrzą na ślad na
dłoni po oparzeniu świecą, gdzie mnie pocałowałeś,
żeby ostygło. Zaglądają pod pachy, między nogi. Ob-
chodzą dokoła, schylają się, żeby obejrzeć stopy. Goła
poddaję się badaniu i staram się zobaczyć, co jest w ich

oczach. Nie ma tam nienawiści ani strachu, ani odrazy, ale te kobiety patrzą na moje ciało z oddali i nie poznają tego, co widzą. W oczach świń, gdy patrzą na mnie, podnosząc łby znad koryta, widać wyraźniejszy związek. Kobiety unikają mojego wzroku, tak jak według ciebie ja powinnam unikać wzroku niedźwiedzi, żeby nie podeszły pełne miłości i chęci do zabawy. Wreszcie każą mi się ubrać i zostawiają mnie, zamykając za sobą drzwi. Wkładam ubranie. Słyszę, jak się sprzeczają. Mała dziewczynka jest z powrotem, już nie płacze, ale powtarza to straszy to straszy. Słychać głos kobiety czy szatan napisałby list. Lucyfer zawsze posługuje się oszustwem i podstępem, mówi druga. Przecież waży się życie kobiety, powiada wdowa, zatem kogo ukarze Pan? Rozlega się tubalny głos mężczyzny. Poinformujemy o tym pozostałych. Wszystko rozważymy, naradzimy się i zaniesiemy modły, a potem wrócimy tu z odpowiedzią. Zdaje się, że nie wiadomo, czy jestem posłańcem Czarnego Człowieka, czy nie. Gdy wchodzę do izby, dziewczynka krzyczy i wymachuje rękami. Kobiety otaczają ją i wybiegają pędem. Mężczyzna zabrania opuszczać dom. Zabiera list. Wdowa idzie za nim ścieżką, błaga go i błaga.

Po powrocie mówi, że oni potrzebują czasu, żeby omówić sprawę między sobą. Uważa, że list daje nadzieję. Córka Jane parska śmiechem. Wdowa klęka do modlitwy. Długo się modli, a potem wstaje i mówi, że muszę z kimś się zobaczyć. Potrzebuję jego pomocy i świadectwa.

Z kim, pyta córka Jane.

Z szeryfem, mówi wdowa.

Córka Jane wykrzywia usta za plecami odchodzącej matki.

Przejęta strachem patrzę, jak córka Jane opatruje rany na nogach. Słońce stoi wysoko, a wdowy wciąż nie ma. Czekamy. Z czasem słońce zaczyna się zniżać. Córka Jane gotuje kacze jajka, studzi i zawija w ściereczkę. Podaje mi złożony koc, kiwając palcem, żebym szła za nią. Wychodzimy na dwór i biegiem za chatę. Rozmaite ptactwo skrzeczy, ucieka na boki. Gnamy przez pastwisko. Koza ogląda się za nami. Kozioł nie. Zły znak. Przeciskamy się przez sztachety ogrodzenia i wpadamy do lasu. Teraz możemy już iść, cicho, córka Jane z przodu. Słońce opróżnia się, przecedza przez cienie drzew to, co mu zostało. Ptaki i małe zwierzęta nawołują się i żerują.

Dochodzimy do strumienia, suchego prawie wszędzie, tu i tam mulistego. Córka Jane daje mi jajka w ściereczce. Wyjaśnia, którędy mam iść, gdzie znajdę szlak, który doprowadzi mnie do drogi pocztowej, a ta doprowadzi mnie do osady, gdzie, mam nadzieję, jesteś. Mówię dziękuję i chcę ucałować jej rękę. Mówi nie, to ja dziękuję tobie. Oni patrzą na ciebie i zapominają o mnie. Całuje mnie w czoło, a potem przygląda się, jak wchodzę do suchego koryta. Odwracam się i patrzę na nią z dołu. Jesteś demonem, pytam. Jej uciekające oko patrzy równo. Córka Jane uśmiecha się. Tak, mówi. O tak. Idź już.

Idę sama, ale po drodze przyłączają się oczy. Oczy, które mnie nie poznają; oczy, które badają, czy nie mam ogona, dodatkowego cycka, męskiej pały między nogami. Zdumione oczy, które wpatrują się, żeby stwierdzić, czy mój pępek znajduje się we właściwym miejscu, czy kolana zginają mi się do tyłu jak kolana przednich łap psa. Chcą zobaczyć, czy mój język jest rozszczepiony jak u węża, a zęby wyostrzone, żeby ich pożreć. Chcą wiedzieć, czy mogę wyskoczyć z ciemności i ugryźć. Kurczę się w sobie. Wspinam się na brzeg strumienia pod czuwające drzewa i wiem, że się zmieniam. Z każdym krokiem coś tracę. Czuję, jak ze mnie wypływa. Opuszcza mnie coś cennego. Jestem kimś innym. Mając list, przynależę i mam prawa. Nie mając listu, jestem słabowitym cielakiem odrzuconym przez stado, żółwiem bez skorupy, posłańcem bez znaków rozpoznawczych prócz ciemności, z którą się urodziłam, na zewnątrz, tak, ale również wewnątrz, a wewnętrzne ciemno jest małe, upierzone i zębiaste. Czy o tym wie moja matka? Czy dlatego woli żyć beze mnie? Nie o zewnętrznym ciemnie, które mamy wspólne, minha mãe i ja, ale tym wewnętrznym, które nie jest nam wspólne. Czy to umieranie dzieje się tylko mnie? Czy wbijające szpony pierzaste stworzenie jest jedynym życiem, jakie mam w sobie? Ty mi powiesz. Ty też masz zewnętrzne ciemno. Gdy cię zobaczę i wpadnę w ciebie, będę wiedziała, że żyję. Nagle przestaje być tak jak przedtem, gdy ciągle jestem w strachu. Teraz niczego się nie boję. Słońce idzie i zostawia za sobą ciemność i to ciemno to ja. To my. To mój dom.

G dy dali jej imię Żałość, nie przejmowała się, o ile Bliźniaczka dalej używała jej prawdziwego imienia. Niewiele było potrzeba, a już mąciło jej się w głowie. Czasem gospodyni, tracz lub synowie czegoś od niej chcieli; innym razem Bliźniaczka zapragnęła towarzystwa, żeby porozmawiać, pospacerować czy się pobawić. Ponieważ Bliźniaczki nie widział nikt inny, przydawało się posiadanie dwóch imion. Na przykład gdy czyściła ubrania albo pasała gęsi i usłyszała imię, którego używał kapitan, wiedziała, że odzywa się Bliźniaczka. Z kolei gdy usłyszała „Żałość", wiedziała, czego się spodziewać. Wolała oczywiście słyszeć głos Bliźniaczki dobiegający od drzwi tartaku albo szepczący jej do ucha. Wtedy porzucała domową robotę i szła za swoim identycznym ja.

Poznały się pod hamakiem lekarza na splądrowanym statku. Wszyscy opuścili statek albo utonęli i z nią też mogło tak się stać, gdyby nie zapadła w opiumowy sen w kajucie lekarza. Miał jej wyciąć wrzody na szyi i dał miksturę, po której, jak powiedział, nie będzie czuła bólu. Dlatego gdy statek zatonął, nic o tym nie wiedziała, nie wiedziała również, czy ktoś z załogi lub pasażerów uszedł przed zabójcami. Pamiętała tylko to, że obudziła się, gdy spadła z hamaka na podłogę, zupełnie sama. Kapitana, jej ojca, nigdzie nie było.

Nim znalazła się w domu tracza, nigdy nie mieszkała na lądzie. Teraz miała wrażenie, że skradziono jej wspomnienia statku, jedynego domu, jaki znała, tak jak skradziono ładunek: bele sukna, skrzynki z opium i amunicją, konie, beczki z melasą. Zacierał się nawet obraz kapitana. Po dniach szukania ocalałych i jedzenia, zgarniania rozlanej na pokładzie melasy i zlizywania z palców, słuchania zimnego wiatru i plusku fal nocną porą, przyszła do niej pod hamak Bliźniaczka i odtąd się nie rozstawały. Razem ogołociły złamany maszt i ruszyły wzdłuż skalistego wybrzeża. Gdy zjadły trochę zdechłej ryby, dokuczało im pragnienie, ale zapomniały o tym na widok dwóch ciał unoszących się na płyciźnie. To z powodu tych wzdętych zwłok kołyszących się na falach oddaliły się nierozważnie od skał i skierowały na lagunę, akurat gdy nadchodził przypływ. Obie zmiotła fala na głęboką wodę; obie starały się jak najdłużej utrzymać na nogach, jednak w końcu straciły z zimna przytomność i morze zniosło je nie w stronę lądu, lecz horyzontu. Szczęśliwym trafem porwał je prąd, który gnał do brzegu i wpadał dalej do rzeki.

Żałość obudziła się naga, przykryta kocem, z ciepłą mokrą szmatką na czole. Zapach obrabianego drewna był przemożny. Przypatrywała jej się kobieta z białymi włosami.

— Ależ ty wyglądasz — odezwała się, kręcąc głową. — Obraz nędzy i rozpaczy. Ale chyba jesteś silna jak na dziewczynę. — Podciągnęła koc pod brodę rozbitka. — Sądziliśmy po ubraniu, że jesteś chłopakiem. Tak czy owak nie umarłaś.

To była dobra wiadomość, ponieważ Żałość przypuszczała, że jest inaczej, dopóki Bliźniaczka nie pojawiła się w nogach legowiska i z szerokim uśmiechem nie przyłożyła rąk do jej twarzy. Pocieszona znów zapadła w sen, tym razem spokojny, bo przy niej umościła się Bliźniaczka.

Następnego ranka obudziło ją zgrzytanie pił i jeszcze mocniejszy zapach drewnianych wiórów. Żona tracza przyniosła męską koszulę i chłopięce spodnie do kolan.

— Na razie masz to — powiedziała. — Będę musiała uszyć ci coś bardziej odpowiedniego, bo w wiosce nie ma nic do pożyczenia. No i przez jakiś czas będziesz bez butów.

Czując, że ma zawroty głowy i miękkie nogi, Żałość włożyła suche chłopięce ubranie i poszła za zapachem jedzenia. Po zjedzeniu sutego śniadania ożywiła się na tyle, że mogła coś powiedzieć, ale nie umiała sobie nic przypomnieć. Na pytanie, jak się nazywa, Bliźniaczka szepnęła NIE, wobec tego wzruszyła ramionami i stwierdziła, że ten gest dobrze zastępuje mówienie o rzeczach, których nie pamięta albo udaje, że nie pamięta.

Gdzie mieszkasz?

Na statku.

Ale nie zawsze.

Zawsze.

Gdzie jest twoja rodzina?

Uniesienie ramion.

Kto jeszcze był na statku?

Mewy.

Jacy ludzie, dziewczyno?

Wzruszenie ramionami.

Jak się nazywał kapitan?

Wzruszenie ramionami.

A jak dostałaś się na ląd?

Syreny, to znaczy wieloryby.

To wtedy gospodyni nadała jej imię. Dzień później

wręczyła jej luźną sukienkę z płótna workowego i czysty czepek, żeby zasłoniła nieprawdopodobne i trochę przerażające włosy, po czym kazała jej doglądać gęsi. Rzucać im ziarno, pędzić do wody i pilnować, żeby gdzieś nie poczłapały. Bose stopy Żałości zmagały się z niepokojącym ciążeniem lądu. Tak często zataczała się i potykała tego pierwszego dnia nad stawem, że gdy pies rzucił się na dwa gąsiątka i powstał rwetes, w nieskończoność zbierała potem stado. Pilnowała gęsi jeszcze parę dni, aż gospodyni wzniosła ręce do góry i wysłała ją do prostych zajęć — do sprzątania — które też wykonywała w sposób niezadowalający. Przyjemność z ganienia nieudolnej służącej przeważała jednak nad zadowoleniem z dobrze wykonanej pracy i gospodyni ochoczo srożyła się na widok niezamiecionego kąta, marnie rozpalonego ognia, niedostatecznie wyszorowanego garnka, niestarannie wypielonej grządki i źle oskubanego ptaka. Żałość skupiała uwagę na posiłkach i sztuce wymykania się na krótkie spacery z Bliźniaczką, na wolnych chwilach między wykonywanymi pracami lub zamiast nich. Od czasu do czasu miała potajemne towarzystwo, inne niż Bliźniaczki, ale nie lepsze, które dawało jej bezpieczeństwo, rozrywkę i porady.

Gospodyni powiedziała dziewczynie, że to miesięczna krew, że wszystkie kobiety tego doświadczają, i Żałość uwierzyła, aż miesiąc później i po dwóch, potem trzech miesiącach krew się nie pojawiła. Rozmawiała o tym z Bliźniaczką, zastanawiały się, czy było to raczej skutkiem tego, co się działo za stosem desek, z udziałem obu braci, a nie tym, co mówiła gospodyni. Ponieważ bolało ją na zewnątrz między nogami, nie zaś w środku, gdzie było to naturalne zdaniem gospodyni. Nadal odczuwała ból, gdy tracz spytał pana, czyby nie zabrał dziewczyny, bo jego żona nie może jej dłużej trzymać.

— Gdzie ona jest? — zapytał pan, a wtedy wezwano Żałość do tartaku.

— Ile lat?

Gdy tracz pokręcił głową, odezwała się Żałość.

— Pewnie mam już jedenaście.

Pan mruknął coś pod nosem.

— Proszę się nie przejmować tym imieniem — powiedział tracz. — Może pan ją nazwać, jak się panu podoba. Żona dała dziewczynie na imię Żałość, bo została porzucona. Jest trochę mieszanej krwi, jak pan widzi. Tak czy owak będzie pracować bez uskarżania się.

Gdy mówił te słowa, Żałość widziała, jak uśmiechał się półgębkiem.

Siedziała za pańskim siodłem i jechali tak przez wiele mil, tylko raz zatrzymując się w drodze. Ponieważ nigdy dotąd nie jechała okrakiem na koniu, pieczenie doprowadziło ją do łez. Kiwając się, podskakując, trzymając się kurczowo płaszcza, w końcu zwymiotowała panu na plecy. Powściągnął konia, zsadził ją, żeby odpoczęła, a sam zaczął wycierać płaszcz liściem podbiału. Podał jej woreczek z wodą, ale po pierwszym łyku zwróciła ją razem z tym, co pozostało w żołądku.

— Żałość, w samej rzeczy — mruknął.

Była wdzięczna, gdy dojeżdżając do farmy, postawił ją na ziemi i pozwolił przejść resztę drogi. Odwracał się co kilka furlongów, sprawdzając, czy nie upadła albo znów nie dostała nudności.

Bliźniaczka uśmiechnęła się i klasnęła w dłonie, gdy zobaczyły farmę. Przez całą drogę, siedząc za panem, Żałość nieustannie rozglądała się wokoło, zdjęta strachem, który byłby większy, gdyby nie mdłości i ból. Ciągnące się milami choiny wznosiły się niczym czarne maszty statku, a gdy się skończyły, strzeliste sosny czerwone, tak grube jak długi był koń, rzucały cienie nad ich głowami. Mimo starań Żałość nie dosięgała wzrokiem czubków sosen, które w jej wyobrażeniu mogły przebić niebo. Co jakiś czas pojawiała się ociężała futrzasta figura, stała między drzewami i przyglądała się, jak przejeżdżali. W pewnej chwili przeciął im drogę wapiti, a pan musiał gwałtownie skręcić i potem cztery razy obrócić konia, zanim ten znów chciał iść do przodu. Tak więc, gdy idąc za koniem pana, znalazła się na zalanej słońcem polanie i usłyszała kwakanie kaczek, i ona, i Bliźniaczka poczuły bezmierną ulgę. W przeciwieństwie do gospodyni pani i Lina miały małe, proste nosy, skóra pani była biała jak białko jajka, a Liny brązowa jak skorupka. Od razu, bez jedzenia i odpoczynku, musiała umyć włosy, bo tak uparła się Lina. Nie podobały jej się nie tylko gałązki i kawałki słomy pod czepkiem; bała się wszy. Ten strach zdziwił Żałość, dla której wszy, podobnie jak kleszcze, pchły czy inne stworzenia mieszkające na skórze, były w większym stopniu utrapieniem niż zagrożeniem. Lina uważała inaczej i po umyciu jej włosów wyszorowała dziewczynę dwukrotnie od góry do dołu, zanim wpuściła ją do domu. Potem, kręcąc głową na boki, dała jej szmatkę z solą, żeby wyczyściła sobie zęby.

Pan, trzymając za rękę Patrician, oznajmił, że dziewczyna ma przebywać nocą w domu. Gdy pani zapytała dlaczego, wyjaśnił: „Podobno się błąka".

Tej pierwszej nocy na dworze był ziąb. Żałość, skulona na plecionce przy kominku, zasypiała i budziła się, zasypiała i budziła się, kołysana głosem Bliźniaczki, która opowiadała o mężczyznach idących tysiącami po morzu i śpiewających bezgłośnie. O tym, że ich zęby lśnią bardziej niż grzywy fal pod stopami. Że gdy pociemniało niebo i wzeszedł księżyc, zasrebrzyły się kontury nagich, czarnych jak noc sylwetek. Że gdy doleciał zapach ziemi, dorodnej i żyznej, rozjaśniły się oczy załogi, ale przekraczający morze zapłakali. Ukojona głosem Bliźniaczki i łojem, którym Lina posmarowała jej dolne części ciała, Żałość zapadła w pierwszy słodki sen od miesięcy.

Ale i tak tego pierwszego ranka ledwie przełknęła kęs śniadania, już go zwróciła. Pani napoiła ją wywarem z krwawnika i posłała do pracy w ogrodzie warzywnym. Wyrywając późną rzepę, Żałość słyszała, jak pan kruszy kamienie na odległym polu. Patrician siedziała w kucki na skraju ogrodu, przyglądając się jej i jedząc żółte jabłko. Żałość pomachała jej ręką. Patrician pomachała w odpowiedzi. Przyszła Lina i przegoniła dziewczynkę. Od tej chwili Bliźniaczka, w przeciwieństwie do Żałości, wiedziała, że w sprawach, które nie należą do pana i pani, rządzi i decyduje Lina. Miała na wszystko oko, nawet gdy nie było jej widać. Wstawała przed pianiem koguta, wchodziła do domu tonącego w ciemnościach, dotykała śpiącej Żałości czubkiem mokasyna i niespiesznie rozniecała żar w kominku. Oglądała koszyki, patrzyła pod pokrywki słojów. Sprawdza zapasy, myślała Żałość. Nie, mówiła Bliźniaczka, sprawdza, czy nie podkradasz jedzenia.

Lina zwracała się do niej bardzo rzadko, nie mówiła nawet dzień dobry, odzywała się tylko wtedy, gdy sprawa była pilna. Dlatego to od niej Żałość dowiedziała się, że jest w ciąży. Tamtego dnia Lina wyjęła z jej rąk wypełniony prosem kosz. Spojrzała jej prosto w oczy i zapytała:

— Dziecko, czy ty wiesz, że nosisz w sobie dziecko?

Żałość aż otworzyła usta, a następnie zarumieniła się z radości na myśl, że rośnie w niej prawdziwy człowiek należący do niej.

— Co powinnam zrobić? — zapytała.

Lina po prostu utkwiła w niej wzrok, po czym oparła kosz o biodro i odeszła. Pani może o tym wiedziała, ale nie dała po sobie znać, prawdopodobnie dlatego, że sama była w ciąży. Żałość urodziła za wcześnie, żeby dziecko zdołało przeżyć, tak powiedziała Lina, natomiast pani wydała na świat tłustego chłopczyka, który poprawił wszystkim humory — w każdym razie na sześć miesięcy. Złożono go przy bracie, u stóp pagórka za domem, i odmówiono modlitwy. Choć Żałości wydawało się, że widziała, jak jej nowo narodzone dziecko ziewa, Lina owinęła je płótnem workowym i puściła na wodę w najszerszym miejscu strumienia, daleko poniżej żeremi bobrów. Nie miało imienia. Żałość płakała, ale Bliźniaczka zabroniła jej. „Ja jestem przy tobie zawsze", powiedziała. Była to jakaś pociecha, choć minęły lata, nim Żałość przestała bez przerwy myśleć o tym, że pod dłonią Liny jej dziecko oddychało wodą. Nie mając z kim porozmawiać, coraz bardziej polegała na Bliźniaczce. Przy niej w pełni zaspokajała potrzebę przyjaźni i rozmowy. Nawet jeśli musiała spać w domu, mogła słuchać wielu opowieści, a w ciągu dnia razem wymykały się na spacery i harce w lesie. Dostawała również wiśnie i orzechy od diakona. Ale musiała siedzieć cicho. Raz przyniósł jej chustkę, ale owinęła nią kamienie i wrzuciła do strumienia, wiedząc, że taka wytworna rzecz rozzłości Linę i wzbudzi czujność pani. Choć umarł następny synek pani, Patrician rosła zdrowo. Przez krótki czas wydawało się, że Lina nie wini Żałości za śmierć chłopców, ale gdy koń kopnął w głowę Patrician i doznała złamania czaszki, Lina zmieniła zdanie.

Potem przybyła Florens.

Potem przybył kowal. Dwukrotnie.

Gdy tamtej srogiej zimy pojawiła się Florens, Żałość, zaciekawiona i ucieszona widokiem kogoś nowego, uśmiechnęła się i już miała zrobić krok w przód, żeby tylko dotknąć jednego z grubych warkoczy dziewczynki. Powstrzymała ją jednak Bliźniaczka, pochyliła się tuż nad jej twarzą i krzyknęła: „Nie! Nie!". Żałość zorientowała się, że Bliźniaczka jest zazdrosna, i machnęła ręką, żeby ta się odsunęła, ale nie zrobiła tego dość szybko. Lina zdjęła chustę, owinęła ramiona dziecka, po czym wzięła je na ręce i zaniosła do obory. Od tej chwili dziewczynka należała do Liny. Razem spały, kąpały się, jadły posiłki. Lina uszyła jej ubranie i malutkie buciki z króliczej skóry. Ilekroć Żałość podeszła bliżej, Lina mówiła: „Sio!" albo kazała jej natychmiast iść i coś zrobić, a zarazem upewniała się, że wszyscy dookoła podzielają bijącą jej z oczu nieufność. Żałość pamiętała te zmrużone, błyszczące oczy, gdy pan kazał jej spać w domu. I choć Lina pomogła jej podczas porodu, Żałość nie zapomniała, że niemowlę oddycha wodą każdego dnia, każdej nocy, z każdego strumienia na tym świecie. Trzymana z dala od nowej dziewczynki, jak była trzymana z dala od Patrician, zachowywała się od tej pory tak jak dawniej — spokojnie i obojętnie wobec wszystkich prócz Bliźniaczki.

Lata później, gdy przybył kowal, atmosfera w gospodarstwie się zmieniła. Na zawsze. Bliźniaczka dostrzegła to pierwsza i powiedziała, że Lina boi się kowala i stara się przestrzec przed nim panią, ale ostrzeżenie nie skutkowało. Pani puszczała je mimo uszu. Była zbyt szczęśliwa, żeby mieć się na baczności — wszystko dlatego, że pan przestał podróżować. Ciągle był na miejscu i pracował przy budowie nowego domu, kontrolował dostawy, dokonywał sznurkiem pomiarów, prowadził poufne rozmowy z kowalem na temat wyglądu bramy. Lina pełna obaw; pani podśpiewująca z zadowolenia; pan w doskonałym nastroju. Florens była, oczywiście, szczególnie roztargniona.

Żałość i Bliźniaczka nie potrafiły ustalić, co tak naprawdę sądzą o kowalu. Wydawało się, że jest pełny, że nie zdaje sobie sprawy, jak działa na innych. Czy był zagrożeniem, jakie widziała w nim Lina, a może jej strach wynikał tylko z zazdrości? Czy był doskonałym towarzyszem pana przy budowie domu, czy klątwą, która padła na Florens, przemieniając otwartą dziewczynę w skrytą. Jeszcze nic nie uzgodniły, gdy pewnego dnia, niosąc wiadro wody ze strumienia, Żałość upadła przy placu budowy, rozpalona i rozdygotana. Szczęśliwy traf zrządził, że kowal akurat znajdował się w pobliżu i to widział. Podniósł ją z ziemi i położył na swoim legowisku. Jej twarz i ramiona pokrywały się pręgami. Kowal dotknął wrzodów na jej szyi i krzyknął. Pan wystawił głowę zza ramy drzwi i przybiegła Florens. Po chwili przyszła pani i kowal poprosił o ocet. Gdy Lina przyniosła ocet, polał wrzody, szyję i ramiona Żałości, zadając jej wielki ból. Kobiety ciężko oddychały, pan zmarszczył brwi, a kowal włożył do ognia nóż i przeciął jedno z nabrzmiałych miejsc. Wszyscy patrzyli w milczeniu, jak wpuszczał jej do ust krople jej własnej krwi. Uważali, że lepiej nie trzymać jej w domu, więc zlana potem leżała na hamaku cały dzień, całą noc — bez jedzenia i picia — a kobiety wachlowały ją na zmianę. Nieustanny ruch wachlarzy przywołał wiatr, który dmuchnął w żagle, oraz trzymającego rumpel kapitana. Usłyszała jego głos, zanim go zobaczyła. Śmiał się. Głośno, ochryple. Nie. Nie śmiał się. Krzyczał. Razem z innymi. Tubalne i piskliwe wrzaski dolatywały z daleka, zza otaczających ją białych chmur. Także konie. Waliły kopytami. Wypuszczone z dołu. Przeskakiwały przez worki ze zbożem, kopały w beczki, aż rozleciały się klepki i wylała się gęsta słodka czerń. Wciąż nie mogła się ruszyć ani przedrzeć przez chmury. Pchała i pchała, padła na podłogę, a chmury ją całą przykryły, przydusiły, i dlatego uważała, że to mewy tak krzyczą. Gdy oprzytomniała, powitały ją oczy o takim samym jak jej kształcie i kolorze. Puszyste chmury, teraz porwane na strzępy, prawie odpłynęły.

— Jestem tu — powiedziała dziewczyna o twarzy identycznej jak jej twarz. — Zawsze tu będę.

Przy Bliźniaczce mniej się bała i obie zaczęły przeszukiwać pogrążony w ciszy, przechylony na bok statek. Powoli, powoli. Zaglądały tu, nasłuchiwały tam, nie znalazły nic prócz czepka i mew dziobiących martwego źrebaka.

Pod kołyszącym się wachlarzem, w strugach potu, Żałość przypomniała sobie, jak to dzień po dniu marzła na statku. Prócz lodowatego wiatru nic tam się nie ruszało. Za rufą ciągnęło się morze, za dziobem — pokryta kamieniami plaża pod skalistym, porośniętym krzakami klifem. Żałość jeszcze nigdy nie postawiła nogi na lądzie i z przerażeniem myślała o zejściu ze statku na brzeg. Był dla niej czymś równie obcym jak dla owiec ocean. Pomogła jej w tym Bliźniaczka. Gdy stanęły na ziemi — lichej, twardej, grubej, obrzydliwej — była wstrząśnięta. Wtedy zrozumiała, dlaczego kapitan wolał trzymać ją na statku. Wychowywał ją nie jak córkę, lecz jak przyszłego członka załogi. Była brudna, nosiła spodnie, zuchwała i zarazem posłuszna, wykazywała jedną cenną umiejętność: umiała łatać i szyć żagle.

Pani i Lina kłóciły się z kowalem co do tego, czy zmuszać Żałość do jedzenia i picia, ale on zarządził, żeby nic jej nie dawać. Uległy, przejęte widokiem rozpalonego noża i lekarstwa z krwi. Tylko wachlowanie i polewanie wrzodów octem. Wieczorem trzeciego dnia gorączka zaczęła opadać i Żałość błagała o trochę wody. Kowal podtrzymywał jej głowę, gdy piła małymi łykami z tykwy. Uniosła wzrok i zobaczyła Bliźniaczkę, uśmiechniętą i usadowioną wśród gałęzi nad hamakiem. Wkrótce potem Żałość powiedziała, że jest głodna. Doglądał jej kowal, pielęgnowała ją Florens i z wolna wrzody usychały, pręgi znikały i powracały jej siły. Wtedy kobiety wydały jednoznaczny osąd: kowal był zbawcą. Mimo to Lina w nieprzyjemny sposób starała się trzymać Florens z dala od chorej i kowala, mamrotała pod nosem, że w dzieciństwie widziała taką chorobę i że rozszerzy się ona jak pleśń na wszystkich. Ale batalię z Florens przegrała. Gdy Żałość wyzdrowiała, na Florens spadła inna choroba, bardziej długotrwała i bardziej zabójcza. To właśnie leżąc na łące na skraju lasu i słuchając ulubionej opowieści Bliźniaczki o dziewczynach rybach, które miały perły zamiast oczu i zielonoczarne loki z wodorostów i ścigały się, siedząc na grzbietach płynących ławicą wielorybów — to wtedy Żałość zobaczyła po raz pierwszy, jak kowal i Florens oplatają się nawzajem. Bliźniaczka doszła akurat do momentu, jak wodne ptactwo, zachwycone pianą ciągnącą się za stadem wielorybów, podobną do spadających gwiazd, przyłączało się do wyścigu, gdy Żałość przyłożyła jeden palec do ust i drugim wskazała przed siebie. Bliźniaczka umilkła i przeniosła wzrok. Kowal i Florens kolebali się, ale w przeciwieństwie do widzianych na farmie samic w rui Florens nie stała spokojnie pod ciężarem i naporem samca. To, co Żałość widziała tam w trawie pod orzesznikiem, w ogóle nie przypominało milczącej uległości wobec tego, co, jak sama doświadczyła, z wolna działo się za stosem desek, ani tego, co w pośpiechu działo się na ławce kościelnej. Ta tutaj samica prężyła się, waliła piętami i rzucała głową na lewo i na prawo, w tę i w tamtą stronę. To było tańczenie. Florens toczyła się i wyginała, raz ona leżała na plecach, raz on. Podniósł ją, opierając o drzewo; położyła głowę na jego ramieniu. Tańczenie. W jednej minucie poziomo, w drugiej pionowo.

Żałość patrzyła do samego końca; aż zaczęli się ubierać, stojąc chwiejnie na nogach jak zmęczeni starcy. Kowal chwycił Florens za włosy, szarpnął do tyłu i przyłożył usta do jej ust. Potem rozeszli się w różnych kierunkach. Żałość przyglądała się ze zdumieniem. W takich razach jej nigdy nikt nie pocałował w usta. Nigdy.

Było rzeczą naturalną, że gdy pan został pogrzebany, a pani zachorowała, posłano po kowala. I przybył. Sam. Zanim zsiadł z konia, przez chwilę spoglądał na wielki, nowy dom. Potem popatrzył na brzuch Żałości, w oczy, i dopiero wtedy podał jej uzdę. Odwrócił się do Liny.

— Prowadź mnie do niej — powiedział.

Przywiązawszy konia, Żałość natychmiast przybiegła z powrotem, tak szybko jak pozwalał jej ciężar, który nosiła, i we trójkę weszli do domu. Przystanął i czując zapach, zajrzał do garnka z wywarem Liny, z ugotowaną bylicą i innymi dodatkami.

— Jak długo leży w łóżku?

— Pięć dni — powiedziała Lina.

Mruknął coś pod nosem i wszedł do sypialni pani. Lina i Żałość patrzyły od progu, jak kucnął przy łożu boleści.

— Dziękuję, że przyjechałeś — szepnęła pani. — Dasz mi moją własną krew do wypicia? Niestety nie mam ani kropli. Ani kropli, która nie byłaby zatruta.

Z uśmiechem pogłaskał ją po twarzy.

— Czy ja umieram? — spytała.

Pokręcił głową.

— Nie. Choroba umarła. Pani nie umiera.

Zamknęła oczy. Gdy je otworzyła, były szkliste i wytarła je owiniętą ręką. Podziękowała mu drugi raz i trzeci, po czym kazała Linie naszykować mu jedzenie. Gdy wyszedł z izby, Lina ruszyła za nim. Żałość też, ale najpierw odwróciła się, żeby spojrzeć ostatni raz. I zobaczyła, jak pani odrzuca prześcieradło i pada na kolana. Patrzyła, jak pani odwiązuje zębami płótno na rękach, a potem składa dłonie. Rozglądając się po izbie, do której zwykle nie wolno jej było wchodzić, Żałość dostrzegła kępki włosów przyklejone do wilgotnej poduszki; dostrzegła również, jak bezbronnie wyglądały jasne stopy wystające spod rąbka koszuli. Na kolanach, z pochyloną głową, pani zdawała się sama na tym świecie. Żałość zrozumiała, że nie sprawiłaby jej różnicy obecność służących, choćby nie wiadomo ilu. Ich troska i oddanie jakoś się nie liczyły. Zatem pani nie miała nikogo — w ogóle nikogo. Prócz Tego, do którego szeptała:

— Dziękuję, Panie, za łaskę ocalenia, jaką mi okazałeś.

Żałość wyszła na palcach i udała się na podwórko, gdzie woń sosen stłumiła zapach pokoju boleści. Słychać było stukanie dzięcioła. Gdy zające wyskoczyły na poletko rzodkiewek, już miała je pogonić, ale rozmyśliła się, zmęczona noszeniem swego ciężaru. Wolała usiąść na trawie w cieniu domu, gładząc przesunięcia w wystającym brzuchu. Z okna kuchennego nad jej głową dolatywało stukanie nożem, przesuwanie kubka albo talerza, gdy kowal się posilał. Żałość wiedziała, że Lina też jest w kuchni, ale nie słyszała jej głosu, dopóki kowal nie wstał, o czym świadczyło szuranie krzesłem. Wtedy Lina zwróciła się do niego z pytaniem, którego pani nie zadała.

— Gdzie ona jest? Wszystko z nią w porządku?

— Oczywiście.

— Kiedy wróci? Kto ją przyprowadzi?

Milczenie zbyt długie dla Liny.

— To już cztery dni. Nie możesz jej trzymać wbrew jej woli.

— Dlaczego miałbym to robić?

— No więc? Mów!

— Wróci, gdy będzie jej pasowało.

Milczenie.

— Zostaniesz na noc?

— Nie na całą. Wielkie dzięki za jedzenie.

Z tymi słowami opuścił kuchnię. Mijając Żałość,

odpowiedział na jej uśmiech i poszedł zamaszystym krokiem pod górę do nowego domu. Powolnym ruchem pogładził kutą bramę, tu łuk, tam spojenie, sprawdził, czy nie odpadają złocenia. Potem skierował się na grób pana i stał tam z kapeluszem w ręce. Po chwili wszedł do pustego budynku, zamykając za sobą drzwi.

Nie zaczekał do wschodu słońca. Niewyspana i niespokojna Żałość stała w drzwiach i patrzyła, jak z błogą radością źrebaka odjeżdża w ciemnościach przedświtu. Wkrótce okazało się, że Lina nadal jest w rozpaczy. W jej spojrzeniu widać było dręczące ją pytania: co się właściwie dzieje z Florens? Czy wróci? Czy kowal mówił prawdę? Choć odznaczał się dobrocią i mocą uzdrawiania, Żałość zastanawiała się, czy nie myliła się co do niego, a Lina jednak miała od początku rację. Kierując się głęboką intuicją właściwą przyszłym matkom, jak same twierdzą, zaczęła w to wątpić. On uratował jej życie octem i jej własną krwią; od razu wiedział, w jakim stanie jest pani i jakie specyfiki zastosować, żeby pozostało mniej blizn. Lina była po prostu nieufna wobec każdego, kto stanął między nią a Florens. Zajęta zaspokajaniem nowych potrzeb pani i sprawdzaniem drogi dla Florens, Lina miała mało czasu i ochoty, by robić cokolwiek innego. A Żałość, nie mogąc się schylić, podnieść nic ciężkiego ani nawet przejść stu jardów bez sapania, w równym stopniu jak tamta ponosiła winę za to, co się działo z farmą. Kozy wyłaziły z wiejskich podwórek i niszczyły oba świeżo założone ogrody. Warstwy owadów pływały w beczce na wodę, której nikt nie pamiętał zakryć. Wilgotne pranie pozostawione zbyt długo w koszu zaczęło butwieć i żadna z nich nie poszła do rzeki, żeby znów je wypłukać. Wszędzie panował bałagan. Robiło się coraz cieplej, ale na skutek odwołanej wizyty byka sąsiadów żadna krowa się nie ocieliła. Akry ziemi czekały na zaoranie; mleko kwaśniało w skopku. Lis właził do kurnika, gdy chciał, a szczury zjadały jajka. Pani nie wróciłaby do zdrowia tak szybko, żeby pozbierać kawałki rozsypującej się farmy. A Lina, niemy wół roboczy, straciwszy swą pupilkę, przestała interesować się czymkolwiek, nawet nie miała ochoty na jedzenie. Po dziesięciu dniach zaniedbanie i rozpad były widoczne wszędzie. I przyszedł chłodny majowy dzień, kiedy to w ciche popołudnie, na zapuszczonej farmie niedawno ogarniętej ospą, Żałości odeszły wody i wpadła w panikę. Wiedziała, że pani nie czuje się na tyle dobrze, by jej pomóc, i nie ufała Linie, pamiętając tamto ziewnięcie. Ponieważ zabroniono jej pojawiać się w wiosce, znalazła się w sytuacji bez wyjścia. Bliźniaczka była nieobecna, nie wiedzieć czemu milcząca, a może wrogo usposobiona, gdy Żałość próbowała porozmawiać o tym, co ma zrobić, dokąd się udać. Mając cichą nadzieję, że Will i Scully będą jak zwykle łowić ryby z tratwy, Żałość wzięła nóż i koc i poszła nad rzekę, gdy tylko poczuła pierwszy mocny skurcz. Została tam, sama, wyła z bólu, gdy musiała, przysypiała między jednym a drugim wrzaskiem, aż do następnego bolesnego rozdarcia ciała i oddechu. Godziny, minuty, dni — nie wiedziała, ile minęło czasu, zanim mężczyźni wreszcie usłyszeli jęki i dopchnęli tratwę do brzegu. Szybko zorientowali się w sytuacji, jakby patrzyli na mające się ocielić stworzenie. Trochę niezdarnie, troszcząc się jedynie o przeżycie dziecka, zabrali się do roboty. Klęczeli w wodzie i Żałość parła, a wtedy oni ciągnęli i przestawali, żeby obrócić maleństwo, które uwięzło między jej nogami. Nie tylko krew spłynęła z prądem do rzeki, przyciągając młode dorsze. Gdy nowo narodzona dziewczynka zakwiliła, Scully przeciął nożem pępowinę i podał dziecko matce, która opłukała je, lekko przemywając usta, uszy i nieskupione oczy. Mężczyźni pogratulowali sobie nawzajem i zaproponowali, że zaniosą matkę z dzieckiem do domu na farmie. Żałość, która z każdym oddechem mówiła „dziękuję", nie zgodziła się. Chciała najpierw odpocząć, a potem samodzielnie wrócić do domu. Willard klepnął Scully'ego w tył głowy i zaśmiał się.

— Akuszerka co się zowie, powiedziałbym.

— Nie ma dwóch zdań — przytaknął Scully, gdy brnęli przez wodę do tratwy.

Gdy wyszło łożysko, Żałość owinęła noworodka kocem i drzemała z przerwami kilka godzin. W pewnej chwili przed zachodem słońca przebudziła się, słysząc płacz, po czym zaczęła uciskać piersi, aż z jednej popłynęło mleko. Choć przez całe życie ratowali ją mężczyźni — kapitan, synowie tracza, pan, a teraz Will i Scully — była przekonana, że tym razem czegoś dokonała, czegoś ważnego, sama. Ledwie zauważała nieobecność Bliźniaczki, koncentrując się na córce. W jednej chwili wiedziała, jakie nada jej imię. Wiedziała również, jakie imię sama będzie nosiła.

Minęły dwa dni. Lina kryła swój wstręt do Żałości i niepokój o Florens pod maską spokoju. Pani nie wspomniała słowem o noworodku, natomiast kazała przynieść Biblię i zabroniła wszystkim wchodzić do nowego domu. W którymś momencie Żałość, czując, że upoważnia ją do tego jej nowa pozycja matki, ważyła się powiedzieć pani:

— To dobrze, że kowal przyszedł z pomocą, gdy pani umierała.

Pani utkwiła w niej wzrok.

— Durna jesteś — rzekła. — Tylko Bóg może uleczyć. Żaden człowiek nie ma takiej mocy.

Związki między nimi zawsze były pogmatwane.

Teraz zostały przecięte. Każda z nich nałożyła na siebie embargo; plotła własną sieć myśli, nie dopuszczając pozostałych kobiet. Wyglądało to tak, jakby — z Florens czy bez niej — oddalały się od siebie.

Bliźniaczka odeszła, nie pozostał po niej ślad ani tęsknota w sercu jedynej osoby, która ją znała. Żałość przestała również włóczyć się po okolicy. Zaczęła wykonywać codzienne obowiązki, podporządkowując je potrzebom niemowlęcia, a przy tym nie zważając na narzekania innych. Spojrzała już w oczy swej córki; zobaczyła w nich szary połysk zimowego morza, gdy statek płynął z żaglami po nawietrznej.

— Jestem twoją matką — powiedziała. — Mam na imię Pełna.

M oja podróż do ciebie jest ciężka i długa, ale jej trudy znikają, gdy tylko widzę podwórze, kuźnię i małą chatę, w której jesteś ty. Opada ze mnie lęk, że już nigdy na tym świecie nie zobaczę twojego uśmiechu na powitanie ani nie posmakuję słodyczy twojego ramienia, gdy bierzesz mnie w objęcia. Zapach ognia i popiołu przyprawia mnie o drżenie, ale serce zaczyna mi bić dopiero na widok radości w twoich oczach. Pytasz mnie jak i ile czasu, śmiejesz się, widząc moje ubranie i podrapaną skórę. Gdy odpowiadam na pytanie dlaczego, marszczysz brwi. Decydujemy się, ty decydujesz, a ja się zgadzam, bo nie ma wyjścia. Od razu pojedziesz do pani, ale sam. Mam tu czekać na ciebie, mówisz. Nie mogę ci towarzyszyć, bo szybciej dojedziesz beze mnie. Poza tym jest jeszcze jeden powód, mówisz. Odwracasz głowę. Podążam za twoim spojrzeniem.

To dzieje się już dwa razy. Za pierwszym razem to ja wyglądam zza sukienki mojej mamy, mając nadzieję, że złapię ją za rękę, która jest tylko dla jej małego. Za drugim razem to wskazująca palcem, rozwrzeszczana dziewczynka chowa się za swoją matką i kurczowo trzyma jej spódnic. W obu razach jest niebezpiecznie i mnie się wyrzuca. Teraz widzę, że wchodzi mały chłopiec z lalką z łusek kukurydzy. Jest młodszy od wszystkich, których znam. Wyciągasz do niego wskazujący palec, a on chwyta go ręką. Mówisz, że to dlatego nie mogę z tobą jechać. Dziecka, które nazywasz Malaik, nie należy zostawiać samego. Jest znajdą. Jego ojciec pochyla się nad lejcami, koń idzie i w końcu staje, zaczyna jeść trawę na drodze. Przychodzą ludzie z wioski, widzą, że człowiek nie żyje i znajdują chłopca spokojnie siedzącego na wozie. Nikt nie wie, kim jest zmarły, i niczego nie dowiadują się z jego rzeczy. Przyjmujesz dziecko do czasu, aż radca albo sędzia gdzieś je umieści, być może nigdy, bo choć skóra zmarłego jest biała, chłopca nie jest. Może więc wcale nie jest jego synem. Robi mi się sucho w ustach na myśl, że może chcesz, by był twoim.

Martwię się, gdy chłopiec podchodzi do ciebie. Jak podajesz mu palec, a ten go chwyta. Jakby to on był twoją przyszłością. Nie ja. Nie podoba mi się, co się dzieje z jego oczami, gdy mówisz, żeby poszedł się bawić na podwórku. Ale potem zmywasz mi podróż z twarzy i z ramion i dajesz mi duszone mięso z warzywami. Trzeba dosolić. Kawałki królika są duże i miękkie. Czuję głód, ale bardziej szczęście. Nie mogę dużo zjeść. Rozmawiamy o różnych rzeczach, lecz nie mówię tego, co myślę. Że zostanę. Że kiedy wrócisz od pani, żywej czy martwej, ja jestem tu z tobą na zawsze. Nigdy nigdy bez ciebie. Tu nie jestem kimś do wyrzucenia. Nikt nie kradnie mi ciepła i butów, bo jestem mała. Nikt nie łapie za tyłek. Nikt nie rży jak owca czy koza, gdy padam ze strachu albo ze słabości. Nikt nie wrzeszczy na mój widok. Nikt nie szuka na moim ciele czegoś gorszącego. Przy tobie moje ciało to przyjemność to bycie bezpieczną to przynależenie. Nigdy nie może być, że z tobą nie ma mnie.

Jestem spokojna, gdy odjeżdżasz, choć nie trzymasz mnie blisko. Ani nie przykładasz ust do moich ust. Dosiadasz konia i każesz mi podlewać wypuszczającą pędy fasolę i zbierać jajka. Zaglądam tam, ale pawice nic nie niosą, więc wiem, że niedługo przyjdzie minha mãe. Mały Malaik jest opodal. Śpi za drzwiami, gdzie ty śpisz. Jestem spokojna, cicha, bo wiem, że wnet tu wrócisz. Zdejmuję buty pana i kładę się na twoim posłaniu, starając się wyczuć twój ognisty zapach.

W szparach okiennic widać pasy światła gwiazd. Minha mãe opiera się o drzwi, trzymając za rękę małego, w kieszeni ma moje buty. Jak zawsze chce mi coś powiedzieć. Mówię jej idź sobie, a gdy znika, słyszę ciche skrzypnięcie. W ciemności wiem, że on tam jest. Duże, zdumione, zimne oczy. Wstaję, idę do niego i pytam. Co Malaik, co. Milczy, ale z jego oczu krzyczy nienawiść. Chce, żebym odeszła. Tak nie może się zdarzyć. Coś mnie ściska w środku. Nie wyrzuci się mnie jeszcze raz.

Mam sen, w którym śnię się sobie. Klęczę w miękkiej trawie przetykanej białą koniczyną. Unosi się słodki zapach, więc pochylam się niżej, żeby powąchać. Ale woń się rozpływa. Widzę, że jestem nad jeziorem. Jest bardziej błękitne niż niebo, bardziej niż jakikolwiek znany mi błękit. Bardziej niż koraliki Liny albo kwiatki cykorii. Tak lubię to jezioro, że nie mogę przestać. Chcę głęboko zanurzyć w nim twarz. Chcę. Co każe mi się zawahać, nie wziąć pięknego błękitu tego, co chcę mieć? Zmuszam się, żeby podejść bliżej, pochylić się, łapiąc za trawę dla utrzymania równowagi. Trawa jest lśniąca, długa i mokra. Natychmiast ogarnia mnie przerażenie, gdy tylko widzę, że nie ma tam mojej twarzy. W miejscu gdzie powinna być, nie ma nic. Wkładam palec i patrzę, jak powstają kręgi na wodzie. Pochylam głowę tak nisko, że mogę się napić albo pocałować, ale nie jestem nawet cieniem. Gdzie on się chowa? Dlaczego tak jest? Wkrótce klęka przy mnie córka Jane. Też patrzy na wodę. Och, skarbie, uspokój się, mówi, znajdziesz go. Gdzie, pytam, gdzie jest moja twarz, ale córki Jane już nie ma obok mnie. Gdy się budzę, minha mãe stoi przy twoim posłaniu i tym razem jej małym jest Malaik. Trzyma ją za rękę. Minha mãe porusza ustami, patrząc na mnie, ale trzyma w dłoni rękę Malaika. Zakrywam twarz twoim kocem.

Wiem, że wrócisz, ale przychodzi ranek, a ciebie nie ma. Przez cały dzień. Malaik i ja czekamy. Malaik trzyma się jak najdalej ode mnie. Jestem w chacie, czasem w ogrodzie, ale nigdy na drodze, gdzie jest on. Staram się być spokojna, ale w środku jestem rozlatana, bo nie wiem, jak się zachowywać. Na pastwisku trochę dalej kręcą się konie. Źrebaki chodzą na palcach, ciągle w ruchu. Ciągle w ruchu. Obserwuję, aż robi się za ciemno. Tej nocy nie przychodzą sny. Ani minha mãe. Leżę na twoim posłaniu. Razem z podmuchami wiatru wali mi serce. Jest głośniejsze niż wiatr. Twój ognisty zapach uchodzi z posłania. Dokąd idzie, zastanawiam się. Wiatr zamiera. Moje serce bije razem z tupotem myszy.

Rano chłopca nie ma w chacie, ale robię dla nas dwojga owsiankę. Znów stoi na drodze, trzymając mocno lalkę z łusek kukurydzy i patrząc w kierunku, dokąd odjeżdżasz. Spoglądając na niego, nagle przypomina mi się zarys psa w parze nad czajnikiem wdowy Ealing. Wtedy nie odczytuję pełnego znaczenia. Teraz już rozumiem. Mam pilnować. Bo nie będę wiedziała, jak się chronić. Najpierw widzę, że nie ma pana butów z cholewkami. Rozglądam się dokoła, chodzę po chacie, po kuźni, po węgielkach, z bolącymi wrażliwymi stopami. Szczypie skóra pocięta kawałkami metalu. Widzę węża ogrodowca, który podpełza pod próg. Patrzę, jak czołga się powoli, aż umiera na słońcu. Dotykam twojego kowadła. Jest chłodne i wygładzone, ale śpiewa o żarze, dla którego żyje. Nie mogę znaleźć butów pana. Ostrożnie, na palcach, idę do chaty i czekam.

Chłopiec schodzi z drogi. Wraca do izby, ale nic nie je ani nie mówi. Gapimy się na siebie przez stół. Jemu nie drgnie powieka. Mnie też. Wiem, że kradnie buty pana, które należą do mnie. Ściska palcami lalkę. Pewnie tu jest jego moc. Zabieram lalkę i kładę na półce, gdzie jej nie dosięgnie. Chłopak wrzeszczy i wrzeszczy. Leją się łzy. Z krwawiącymi stopami wybiegam na dwór, żeby nie słyszeć. Nie przestaje. Nie. Przejeżdża wóz. Mężczyzna i kobieta patrzą, ale się nie witają ani nie zatrzymują. W końcu chłopiec cichnie, a ja wracam do chaty. Lalki nie ma na półce. Leży rzucona w kąt jak ukochane dziecko, którego nikt nie chce. Albo nie. Może lalka tam się chowa. Przede mną. Ze strachu. Więc jak? Jak należy to odczytać? Owsianka skapuje ze stołu. Zydel jest przewrócony. Widząc mnie, chłopiec znowu zaczyna ryczeć i wtedy łapię go. Nic mu nie zrobię, chcę tylko, żeby przestał. Dlatego ciągnę go za rękę. Niech przestanie. Niech przestanie. No tak, rzeczywiście słyszę trzask w ramieniu, ale cichy jak chrupnięcie skrzydła pieczonego cieciornika, gdy odrywa się je od piersi, ciepłe i miękkie. Chłopiec krzyczy krzyczy potem mdleje. Na jego ustach pojawia się trochę krwi, gdy uderza w róg stołu. Tylko trochę. Pada zemdlony, akurat gdy słyszę twój krzyk. Nie słyszę twojego konia, tylko krzyk, i wiem, że jestem zgubiona, bo to nie moje imię wykrzykujesz. Nie moje. Jego. Malaik, wołasz. Malaik.

Gdy widzisz, że leży nieruchomo i bezwładnie na podłodze i z ust ciekni mu ta czerwona strużka, wykrzywia ci się twarz. Odpychasz mnie mocnym uderzeniem i wołasz co ty robisz? gdzie twoje serce? Podnosisz go, tego chłopca, z taką czułością. Gdy widzisz zgięte pod kątem ramię, wydajesz krzyk. Chłopiec otwiera oczy i znowu mdleje, gdy nastawiasz ramię. Tak, jest krew. Trochę. Ale nie ma cię na miejscu, gdy się pojawia, więc skąd wiesz, że to przeze mnie? Dlaczego odpychasz mnie, nie mając pewności, co jest prawdą? Widzisz leżącego chłopca i nie pytając, źle o mnie myślisz. Masz rację, ale dlaczego nie pytasz.

Od razu odtrącasz mnie. Wierzchem dłoni uderzasz mnie w twarz. Upadam i zwijam się w kłębek na podłodze. Mocno. Bez pytania. Wybierasz chłopca. To jego imię wykrzykujesz najpierw. Kładziesz go przy lalce i zwracasz się do mnie z wykrzywioną twarzą, bez radości w oczach, z pulsującymi postronkami na szyi. Jestem zgubiona. Ani słowa żalu za zwalenie mnie z nóg. Nawet czułego dotknięcia palcami za sprawienie mi bólu. Kulę się. Przytrzymuję stroszące się pióra.

Twoja pani wraca do zdrowia, oznajmiasz. Mówisz, że najmiesz kogoś, kto zabierze mnie do pani. Zabierze od ciebie. Każde następne słowo rani.

Dlaczego mnie zabijasz, pytam.

Masz stąd odejść.

Daj mi wyjaśnić.

Nie. Teraz.

Dlaczego? Dlaczego?

Bo jesteś niewolnicą.

Co?

Słyszałaś, co powiedziałem.

Pan mi każe.

Nie jego mam na myśli.

A kogo?

Ciebie.

O co ci chodzi? Jestem niewolnicą, bo pan mną handluje.

Nie. Ty stałaś się niewolnicą.

Jak?

Masz pustą głowę i dzikie ciało.

Uwielbiam cię.

Też zniewolenie.

Należę tylko do ciebie.

Masz należeć do siebie, kobieto. Zostaw nas w spokoju. Mało brakowało, a zabiłabyś to dziecko.

Nie. Poczekaj. Zadajesz mi mękę.

Jesteś dzikością. Gdzie w tobie pohamowanie? Gdzie rozum?

Wykrzykujesz to słowo — rozum, rozum, rozum — na okrągło, a potem śmiejesz się i mówisz istna niewolnica z wyboru.

Na kolanach wyciągam do ciebie rękę. Czołgam się. Robisz krok w tył, mówiąc zostaw mnie.

Twoje słowa wstrząsają. Czy chcesz powiedzieć, że jestem dla ciebie niczym? Że nic nie znaczę w twoim świecie? Moją twarz, której nie ma w błękitnej wodzie, odnajdujesz tylko po to, by ją zmiażdżyć? Przeżywam w środku umieranie. Nie. Nigdy więcej. Przenigdy. Strosząc pióra, ujawniam się. Szpony skrobią i skrobią, aż mam w ręku młot.

Jacob Vaark wstał z grobu, żeby zajść do swojego pięknego domu.

— I słusznie — powiedział Willard.

— Ja na pewno bym tak zrobił — dodał Scully.

Wciąż był to najwspanialszy dom w całym regionie — czemu więc nie spędzić w nim wieczności? Gdy zobaczyli cień, Scully, wcale nie taki przekonany, że to rzeczywiście Vaark, od razu chciał podkraść się bliżej. Natomiast Willard, znający się na duchach, przestrzegł go przed skutkami zakłócania spokoju tym, co powstali z martwych. Noc w noc przyglądali się, aż nabrali pewności, że tylko Vaark przeznaczałby czas na nawiedzanie tego miejsca — nikt tu wcześniej nie mieszkał, a pani zakazała wchodzić do środka. Obaj mężczyźni respektowali jej postanowienie, choć go nie rozumieli.

Od lat mieszkańcy sąsiedniej farmy byli najbliżsi temu, co jeden i drugi uważaliby za rodzinę. Dobrotliwa para (rodzice), trzy służące (siostry, można powiedzieć), no i oni — pomocni synowie. Każdy z domowników był od nich zależny, żaden nie był okrutny, wszyscy byli życzliwi. Zwłaszcza pan, który — w przeciwieństwie do ich najczęściej nieobecnego właściciela — nigdy im nie złorzeczył ani nie groził. Nawet dawał rum w prezencie na Boże Narodzenie, a raz zdarzyło się, że napił się z Willardem prosto z butelki. Śmierć pana zasmuciła ich do tego stopnia, że nie posłuchali swego właściciela, który zabronił im chodzić na tę zapowietrzoną farmę; z własnej woli przyszli wykopać ostatni, jeśli nie ostateczny, grób, jakiego będzie potrzebowała wdowa. W ulewnym deszczu wykopali w błocie dół na głębokość pięciu stóp i w pośpiechu złożyli zwłoki, nim wypełnił się wodą. A teraz, trzynaście dni później, zmarły opuścił to miejsce, uszedł z własnego grobu. Zupełnie tak jak wracał po tygodniach podróżowania. Nie widzieli go — to znaczy wyraźnej sylwetki czy twarzy — natomiast widzieli jego widmową poświatę. Pojawiała się koło północy, unosiła się jakiś czas na pierwszym piętrze, znikała, potem niezwykle wolno przesuwała się od okna do okna. Widząc, że pan Vaark zadowala się wędrowaniem po swoim domu i nie pojawia się nigdzie indziej, nikogo nie straszy ani nie irytuje, Willard uznał, że nic nie grozi jemu i Scully'emu, że mogą dochować wierności pani i pomóc jej w wykonywaniu napraw na farmie, a także przygotowaniu ziemi, niewiele bowiem zrobiono po tym, jak zachorowała. Zbliżał się już czerwiec, a pług nie zostawił na polu ani jednej bruzdy. Szyling, który pani im dała, był ich pierwszym w życiu zarobkiem i sprawił, że pracowali już nie z obowiązku, lecz gotowi do poświęceń, nie ze współczuciem, lecz dla zysku.

Roboty mieli dużo, ponieważ kobiety, choć zawsze wytrwałe, teraz wydawały się roztargnione, powolne. Przed i po tym, jak kowal uzdrowił panią i ta dziewczyna, Florens, wróciła tam, gdzie przynależała, zbierały się chmury. Mimo to Lina nadal pracowała sumiennie, ze spokojem, powiedział Willard, jednak Scully był innego zdania, uważał, że Lina gotuje się w środku. Jak zielone jabłka, które obracają się we wrzątku tak długo, że zaraz pęknie im skórka, więc trzeba szybko wyjąć je i schłodzić, zanim rozetrze się je na mus. A Scully chyba wiedział, co mówi, skoro przez te lata zmarnował tyle godzin, obserwując ukradkiem jej kąpiele w rzece. Swobodne przyglądanie się jej pośladkom, temu wcięciu w talii, tym karmelowym piersiom już nie było możliwe. Najbardziej tęsknił za tym, czego nie widział nigdzie indziej: za odsłoniętymi włosami kobiety, agresywnymi, uwodzicielskimi, czarnymi jak magia. Widok mokrych pasem kołyszących się na plecach, przylegających do skóry sprawiał mu cichą radość. Ale to się skończyło. Gdziekolwiek się kąpała, jeśli w ogóle, Scully był przekonany, że coś ją rozsadzało.

Pani też się zmieniła. Opłakiwała męża, niedomagała, powiedział Willard — skutki tego wszystkiego były widoczne jak na dłoni. Jej włosy, niegdyś wymykające się spod czepka pasmami barwy mosiądzu, przypominały jasne nitki i powiewały na skroniach, nadając melancholijny wyraz surowym teraz rysom. Gdy podniosła się z łoża boleści, zaczęła znów nadzorować gospodarstwo, w pewnym sensie, ale unikała prac dawniej wykonywanych z ochotą, twierdząc, że są zbyt męczące. W ogóle nie robiła prania, w ogóle nie sadziła roślin, nigdy nie wyrywała chwastów. Gotowała i cerowała. Poza tym spędzała czas na czytaniu Biblii albo goszczeniu paru osób ze wsi.

— Coś mi się zdaje, że ona wyjdzie ponownie za mąż — powiedział Willard. — I to niedługo.

— Dlaczego niedługo?

— Jest kobietą. Jak inaczej utrzyma farmę?

— Za kogo?

Willard mrugnął okiem.

— Wioska już o to zadba.

Zaśmiał się chrapliwie, przypomniawszy sobie przyjazne nastawienie diakona.

Według nich tylko Żałość zmieniła się na lepsze; była bardziej przytomna, zdatniejsza do prac domowych. Ale przede wszystkim zajmowała się dzieckiem i dlatego często zwlekała ze zbieraniem jajek, spóźniała się z dojeniem krów, rzucała zajęcia w polu, gdy tylko usłyszała kwilenie niemowlęcia, które zawsze znajdowało się gdzieś niedaleko. Ponieważ pomogli jej podczas porodu, przyjęli role ojców chrzestnych, nawet wyrazili gotowość zaopiekowania się dzieckiem, jeśli będzie potrzebowała. Żałość odrzuciła ich propozycję, wcale nie z braku zaufania; zrobiła to dlatego, że chciała ufać sobie.

Najdziwniej zachowywała się Florens. To stworzenie, dotąd znane im z potulności, zdziczało. Gdy zobaczyli, jak idzie ciężkim krokiem drogą dwa dni po wizycie kowala u chorej pani, dopiero po chwili zorientowali się, że mają przed oczami żywą osobę. Sądzili, że to zjawa, po pierwsze dlatego, że była bardzo pokrwawiona i obszarpana, a po drugie, przeszła obok nich jakby nigdy nic. Na widok zlanych potem mężczyzn wypadających ni stąd, ni zowąd spomiędzy przydrożnych drzew człowiek chybaby się wystraszył, każdy człowiek, zwłaszcza kobieta. Ale ta nie spojrzała na nich, nawet nie zmieniła kroku. Obaj bez tchu, wciąż

oszołomieni możliwością zderzenia się z duchem, usko-
czyli jej z drogi. Przerażona wyobraźnia podpowiadała,
że cokolwiek może być czymkolwiek. Co sił w nogach
pobiegli z powrotem do powierzonego ich opiece sta-
da, żeby maciory nie zdążyły zjeść swoich młodych.
Wcześniej tego ranka długo ukrywali się przed roz-
drażnioną niedźwiedzicą, co stało się głównie z winy
Willarda, jak zgodnie stwierdzili. Schwytana w sieć
kuropatwa, wisząca u pasa starszego mężczyzny, miała
wystarczyć na dwa posiłki dla każdego. Korzystając
z życzliwości losu, nierozważnie pozostali w lesie, żeby
Willard odpoczął pod bukiem i zapalił fajkę. Obaj
wiedzieli, co może spowodować powiew dymu w miejscu, gdzie zapach ma decydujące znaczenie: skłonić
do ucieczki, ataku, ukrycia się albo, jak w przypadku
niedźwiedzicy, do zbadania terenu. Gdy nagle rozległ
się trzask w gęstwinie wawrzynu, skąd wyleciały kuro-
patwy, Willard podniósł się, dając znak Scully'emu,
żeby był cicho. Scully przyłożył rękę do noża i też
wstał. Zapadła niesamowita cisza — umilkły ptaki
i wiewiórki — owiał ich ostry zapach i w tej samej
chwili z krzaków wawrzynu wypadła niedźwiedzica,
kłapiąc zębami. Nie wiedząc, którego z nich wybierze,
każdy puścił się pędem w inną stronę z nadzieją, że
podjął słuszną decyzję, udawanie bowiem martwego
nie wchodziło w rachubę. Willard dał nura za wyras-

tającą z ziemi skałę, kciukiem zatkał fajkę i modlił się, żeby wiatr zmienił kierunek na łupkowym występie. Scully, przekonany, że czuje gorący oddech na karku, doskoczył do najniższej gałęzi i wciągnął się na nią. Nieroztropnie. Niedźwiedzica, też łażąca po drzewach, musiała tylko stanąć na tylnych łapach, żeby zacisnąć szczęki na jego stopie. Przerażenie Scully'ego było jednak niczego sobie, więc zebrał wszystkie siły przynajmniej na jedno działanie obronne, choćby całkowicie beznadziejne. Chwycił za nóż, odwrócił się i nawet nie celując, wbił w łeb zwinnego, czarnego kolosa. Choć raz desperacja okazała się zaletą. Ostrze trafiło zwierzę i wsunęło się w oko niczym igła. Ryk był potworny, gdy zdzierając pazurami korę, niedźwiedzica zwaliła się zadem na ziemię. Nawet gdyby obległy ją ujadające psy, nie byłaby aż tak rozwścieczona. Warcząc, prostując się, uderzała w nóż, aż wypadł. Potem, już na czworakach, obracała barkami i kręciła łbem na boki. Scully miał wrażenie, że minęło dużo czasu, zanim chrząknięcie niedźwiadka przykuło jej uwagę i ledwie widząc przy i tak z natury marnym wzroku, zataczając się, poczłapała, żeby odszukać małe. Scully i Willard nie ruszali się z miejsc, jeden na drzewie, jakby sam był osaczonym niedźwiedziem, drugi przytulony do skały, obaj w strachu, że zwierzę wróci. Gdy w końcu nabrali pewności, że tak się nie stanie, czujnie łowiąc zapach futra, nasłuchując chrząknięcia, ruchu przyjaciela albo znów głosu ptaków, wyszli z ukrycia. Powoli, powoli. I rzucili się do ucieczki.

Właśnie wypadli z lasu na drogę, gdy dostrzegli podobną do kobiety postać, która maszerowała w ich stronę. Podczas późniejszej rozmowy na ten temat Scully doszedł do wniosku, że wyglądała nie tyle jak zjawa, ile jak ranny żołnierz angielski w czerwonej kurtce, bosy, zakrwawiony, ale dumny.

Sprzedany na siedem lat osadnikowi w Wirginii młody Willard Bond spodziewał się, że zostanie wyzwoleńcem w wieku dwudziestu jeden lat. Ale okres przymusowej pracy przedłużono mu o trzy lata za naruszenie prawa — kradzież i napaść — i oddano go farmerowi, który uprawiał pszenicę daleko na północy. Po dwukrotnych żniwach zboże zniszczyła zaraza i właściciel zajął się hodowlą mieszaną bydła. Z czasem, gdy na skutek przepasienia trzeba było szukać nowych pastwisk, właściciel ubił interes ze swoim sąsiadem, Jacobem Vaarkiem, i w zamian za korzystanie z jego ziemi dał mu siłę roboczą. Ale jeden człowiek nie mógł sobie poradzić z takim inwentarzem. Przyjęcie chłopaka do pracy pomogło.

Zanim pojawił się Scully, Willard wiódł ciężkie i samotne życie, dni mijały mu na pilnowaniu przeżuwającego i parzącego się bydła, a jedyną pociechę przynosiło wspominanie jeszcze cięższego, ale przyjemniejszego życia w Wirginii. Choć praca była nieludzka, dni nie mijały monotonnie i miał towarzystwo. Tam pracował na polach tytoniu z dwudziestoma dwoma mężczyznami. Sześcioma Anglikami, jednym Indianinem i dwunastoma przybyłymi z Afryki przez Barbados. Dokoła ani jednej kobiety. Koleżeńskie związki między nimi przypieczętowała nienawiść do nadzorcy i wstrętnego syna właściciela. To właśnie tego syna napadł. Kradzież warchlaka była wymysłem, dodatkowym zarzutem, by zwiększyć zadłużenie Willarda. Z trudem przyzwyczajał się do surowszej, zimniejszej pogody w nowym miejscu. Leżąc nocą na hamaku, w sidłach rozległej, ożywionej ciemności, zbierał siły przeciwko żywym i martwym. Lśniące oczy wapiti mogły równie dobrze być demonem, tak samo jak jęki cierpiących męczarnie dusz mogły być wyciem zadowolonych wilków. Strach, jaki przeżywał w te samotne noce, przenikał go za dnia. Świnie, owce i krowy były jego jedynymi towarzyszami, aż wracał właściciel i wywoził najlepsze sztuki na rzeź. Przybycie Scully'ego powitał Willard z zadowoleniem i z ulgą. Potem, gdy do codziennych obowiązków doszła od czasu do czasu praca na farmie Vaarka i gdy zaczęli utrzymywać swobodne kontakty z jej mieszkańcami, zaledwie kilka razy wypił za dużo czy zachował się nienależycie. Na początku służby uciekł dwukrotnie, za każdym razem schwytano go na podwórzu karczmy i dołożono mu kolejne lata pracy.

Jego życie towarzyskie znacznie się poprawiło, kiedy Vaark postanowił zbudować wielki dom. Znowu należał do gromady parobków, wprawnych i niewprawnych, a gdy dołączył kowal, zrobiło się jeszcze ciekawiej. Nie dość, że dom był okazały, a jego ogrodzenie imponujące, to również brama budziła zachwyt. Pan chciał mieć ozdobne motywy na obu skrzydłach, ale kowal odwiódł go od tego zamiaru. W rezultacie zrobiono pionowe pręty wysokie na trzy stopy, zwyczajnie zakończone piramidami. Te pręty wiodły zgrabnie do bramy, której oba skrzydła były zwieńczone zakrętasami z grubych winorośli. Tak mu się przynajmniej wydawało. Przyjrzawszy się baczniej, zauważył, że złocone pędy winorośli to tak naprawdę węże, z łuskami i w ogóle, ale na końcach miały nie zęby jadowe, lecz kwiaty. Przy otwieraniu bramy płatki kwiatów się rozdzielały. Przy zamykaniu kwiaty łączyły się w jeden.

Podziwiał kowala i jego biegłość. Trwało to do dnia, gdy zobaczył, że pieniądze przechodzą z ręki Vaarka do ręki kowala. Brzęk srebra był równie łatwy do rozpoznania jak jego blask. Willard wiedział, że Vaark bogaci się na rumie, lecz widząc, że kowal dostaje zapłatę za swoją pracę, podobnie jak ludzie dostarczający materiałów budowlanych, a w przeciwieństwie do ludzi pracujących z nim w Wirginii, zezłościł się i namówił Scully'ego, by nie spełniali żadnych próśb czarnoskórego mężczyzny. Przestali siekać kasztany, wozić węgiel drzewny czy dąć miechem i „zapominali" osłaniać tarcicę przed deszczem. Choć Vaark zganił obydwu i doprowadził do niechętnej ugody, w istocie to sam kowal udobruchał Willarda. Willard miał dwie koszule, jedną z kołnierzykiem, drugą bardziej podobną do szmaty. Pewnego ranka, gdy poślizgnął się na świeżym łajnie i rozdarł koszulę na plecach od góry do dołu, włożył tę dobrą z kołnierzykiem. Po przyjściu na farmę zauważył, że kowal zwraca na niego uwagę, kiwa głową i podnosi do góry kciuk na znak aprobaty. Willard nigdy nie wiedział, czy ktoś się z niego naśmiewa, czy prawi mu komplement. Ale gdy kowal powiedział: „Dzień dobry, panie Bond", zrobiło mu się miło. Żadnemu urzędnikowi królewskiemu w Wirginii, konstablowi, kaznodziei czy małemu dziecku — nikomu nigdy nie przeszło przez myśl, by zwrócić się do niego per „pan", więc Willard nawet nie oczekiwał tego od nich. Znał swoje miejsce, ale nie sądził, że drobna uprzejmość tak podniesie go na duchu. Bez względu na to, czy było to powiedziane żartem, czy serio, nie skończyło się na jednym razie — od tego czasu kowal zawsze tak się do niego zwracał. Choć nadal drażniła go pozycja, jaką cieszył się wolny Afrykanin, w porównaniu z jego własną, nic w tej sprawie nie mógł zrobić. Żadne prawo nie chroniło przed wolnymi Afrykanami parobków odpracowujących długi. Kowal miał jednak urok osobisty, a Willardowi sprawiało wielką przyjemność takie tytułowanie. Śmiejąc się pod nosem, uprzytomnił sobie, dlaczego ta Florens straciła dla tamtego głowę. Pewnie mówił do niej „panienko" albo „pani", gdy spotykali się w lesie na wieczorne igraszki. To by ją podniecało, pomyślał, jeśli nie wystarczał jej sam uśmiech czarnoskórego.

— Nigdy w życiu nie widziałem czegoś podobnego — powiedział Scully'emu. — On ją bierze, kiedy chce i gdzie chce, a ta poluje na niego jak wilczyca, gdy tamten zniknie jej z oczu. Kiedy ten człowiek wyjedzie, żeby przez parę dni pracować przy dymarce, dziewczyna chodzi z posępną miną, dopóki on nie wróci z wytopioną rudą. Przy niej Żałość wygląda jak kwakierka.

Zaledwie kilka lat starszy od Florens Scully nie był tak zdziwiony jak Willard nagłą zmianą w jej zachowaniu. Uważał, że dobrze zna się na ludziach i w przeciwieństwie do Willarda potrafi chytrze i nieomylnie przejrzeć człowieka na wylot. Willard oceniał ludzi po ich powierzchowności, Scully sięgał głębiej. Choć rozkoszował się nagością Liny, dostrzegał w niej czystość.

Jej lojalność, uważał, nie była wyrazem uległości wobec pani czy Florens; była oznaką poczucia własnej wartości — swego rodzaju dotrzymywaniem danego słowa. Poczuciem honoru być może. Choć razem z Willardem naśmiewał się z Żałości, wolał ją od tamtych dwóch służących. Gdyby interesowało go uwiedzenie, to ją by wybrał: zniechęcała do siebie, sprawiała wrażenie osoby skomplikowanej i powściągliwej. Jej nieruchome, szare jak dym oczy nie były puste, kryło się w nich wyczekiwanie. Właśnie to przyczajone spojrzenie niepokoiło Linę. Prócz niego wszyscy twierdzili, że jest głupkowata, bo głośno mówi do siebie, gdy jest sama, ale kto tego nie robi? Willard co rusz pozdrawiał owce, a pani zawsze udzielała sobie pod nosem wskazówek, zajmując się czymś w pojedynkę. Lina z kolei — ta odpowiadała ptakom, jak gdyby radziły się jej, jak mają lecieć. Lekceważąc Żałość jako „dziwaczkę", człowiek nie dostrzegał, że aż tak przenikliwie i mądrze rozumiała własną pozycję. Skrytość dawała jej ochronę; beztroskie kopulowanie było podarunkiem dla siebie samej. Gdy chodziła w ciąży, bił z niej blask, a gdy zbliżał się poród, szukała pomocy, u kogo należało i gdzie należało.

Gdyby natomiast interesowało go zgwałcenie, jego ofiarą padłaby Florens. Łatwo było w niej dostrzec to połączenie bezbronności, chęci dogodzenia drugiemu człowiekowi i przede wszystkim skłonności do obwiniania siebie za podłość innych. Teraz jednak, z całą pewnością, nic takiego nie dało się o niej powiedzieć. W chwili gdy zobaczył, jak maszeruje drogą — zjawa czy żołnierz — wiedział, że stała się niedotykalna. Całkowicie beznamiętnie oszacował, że dziewczyna nie nadaje się do zgwałcenia. Pominąwszy obsesyjne podglądanie nagiej Liny, Scully nie patrzył pożądliwie na kobiety. Już dawno temu świat mężczyzn i wyłącznie mężczyzn odcisnął na nim swoje piętno. Gdy tylko zobaczył kowala, wiedział ponad wszelką wątpliwość, jak tamten podziała na Florens. I dlatego zmiana z „jestem zawsze twoja" na „nigdy więcej nie waż się mnie dotknąć" była w jego odczuciu równie wyrazista jak spodziewana.

Scully mniej pochlebnie niż Willard wyrażał się również o pani. Nie czuł do niej niechęci, ale tłumaczył jej zachowanie po śmierci pana i po powrocie do zdrowia nie tylko następstwami niedomagania i żałoby. Mijające dni sprawiały pani tyle radości, ile wskazówkom zegara. Wiodła czyste i proste życie skruszonej pokutnicy. Co dla Scully'ego oznaczało, że pod pozorem pobożności kryje się coś zimnego, a może i okrutnego. To, że nie chce przekroczyć progu wspaniałego domu, którego budowa tak ją cieszyła, rozumiał jako karanie nie tylko siebie, lecz również pozostałych, zwłaszcza nieżyjącego męża. Wszystko, co niegdyś dawało obojgu małżonkom powody do radości, a nawet świętowania, teraz było w jej pojęciu godne pogardy jako przejawy grzechów chciwości i pychy. Choć bardzo kochała męża za jego życia, nie pogodziła się z tym, że odszedł i ją zostawił. Jak więc mogła nie szukać sposobu, żeby trochę się zemścić, pokazać mu, że czuje się podle, że przepełnia ją gniew?

Dwudziestodwuletni Scully widział w swoim życiu więcej przejawów ludzkiego szaleństwa niż Willard. Nim skończył dwanaście lat, pobierał nauki u anglikańskiego wikarego, był przez niego kochany, a potem zdradzony. Gdy jego matka zmarła na podłodze karczmy, w której pracowała, tak zwany ojciec wynajął go radzie Kościoła. Karczmarz zażądał, by Scully odpracował trzy lata za długi matki, ale pojawił się „ojciec", wyrównał rachunki i sprzedał swego syna, wraz z dwiema beczkami wina, na służbę radzie Kościoła.

Scully nigdy nie miał wikaremu za złe zdrady ani kary chłosty, którą mu potem wymierzono; gdy zostali przyłapani, wikary musiał przedstawić okoliczności zdarzenia w takim świetle, by chłopca obwiniono o lubieżność, w przeciwnym razie jego samego nie tylko pozbawiono by habitu, ale również stracono. Stwierdziwszy, że Scully jest zbyt młody, by uznać go za trwale niepoprawnego, starsi przekazali go właścicielowi ziemskiemu, który potrzebował pomocnika dla pastucha pilnującego bydła w odległym regionie. Wiejska okolica, słabo zaludniona, tam — mieli nadzieję — chłopiec w najlepszym razie poprawi swoje zachowanie, a w najgorszym nie będzie miał sposobności nikogo deprawować. Scully rozważał ucieczkę, gdy tylko przyjechał na miejsce. Ale trzeciego dnia rozpętała się zimowa burza, ziemia zamarzła i okryła się grubą na trzy stopy warstwą śniegu. Krowy zdychały na stojąco. Pokryte lodem szpaki przywierały do gałęzi zginających się pod ciężarem śniegu. Willard i Scully spali w oborze razem z owcami i bydłem, pozostawiając na dworze te stworzenia, których sami nie zdołali uratować. I tam, w cieple wytwarzanym przez zwierzęta, przylegając jeden do drugiego, Scully zmienił swoje plany, a Willard nie miał nic przeciwko temu. Choć starszy mężczyzna lubił wypić, Scully, który przez całe dzieciństwo spał pod ladą w karczmie i widział, co trunki zrobiły z jego matką, wolał ich unikać. Postanowił czekać na odpowiedni moment, gdy otrzymawszy wolnościową wypłatę, będzie mógł kupić sobie konia. Jazda powozem, wozem czy furmanką w niczym nie przewyższała jazdy wierzchem. Człowiek, który wszędzie musiał chodzić, nigdzie nie zaszedł.

Mijały lata, a Scully wciąż snuł śmiałe plany, ćwicząc zarazem cierpliwość, choć jego nadzieje zaczynały blaknąć. Potem umarł Jacob Vaark i wdowa po nim była do tego stopnia uzależniona od Scully'ego i Willarda, że zaczęła wypłacać im pieniądze. Po czterech miesiącach Scully miał już szesnaście szylingów. Za cztery funty, może trochę mniej, mógłby kupić konia. Gdyby dodać do tego wolnościową wypłatę — dobra, ziarno lub monety na sumę dwudziestu pięciu funtów (a może dziesięciu?) — lata peonażu byłyby tego warte. Nie chciał spędzić całego życia tylko na szukaniu czegoś do jedzenia i kochania. Tymczasem starał się nie budzić zaniepokojenia pani Vaark ani nie dawać jej powodu, by go odprawiła. Przepowiednia Willarda o jej rychłym zamążpójściu wytrąciła go z równowagi. Gdy farmą zajmie się nowy mąż, może powziąć zupełnie inne postanowienia, w których osoba Scully'ego nie zostanie uwzględniona. Praca dla i pośród kobiet stawiała jego i Willarda w korzystnej sytuacji. Choćby było tu nie wiadomo ile kobiet, choćby nie wiadomo jak pilnych, nie ścięłyby drzew wysokich na sześćdziesiąt stóp, nie zbudowały zagród, nie zreperowały siodeł, nie zabiły byka i nie rozebrały mięsa, nie podkuły konia ani nie poszły na polowanie. Widział, jak pani roztacza dokoła siebie niezadowolenie, a zarazem robił wszystko, by ją zadowolić. Gdy zbiła Żałość, kazała zdjąć hamak Liny, dała anons o sprzedaży Florens, coś ściskało go w środku, ale nic nie mówił. Nie tylko dlatego, że nie był na swoim; również dlatego, że postanowił na zawsze wydobyć się z niewoli, a gwarancją tego było posiadanie pieniędzy. Mimo to, w miarę możliwości i w tajemnicy, starał się złagodzić albo wymazać krzywdy, które wyrządzała pani. Zrobił wyściełaną owczą skórą skrzynkę dla niemowlęcia Żałości. Nawet zerwał anons wywieszony w wiosce (nie zauważył jednak tego, który umieszczono w domu zborowym). Lina była nieprzystępna, o nic nie prosiła, niechętnie przyjmowała to, co jej dawano. Galaretka z głowizny, którą zrobił razem z Willardem, wciąż leżała zawinięta w szmatkę w szopie na narzędzia, gdzie teraz spała Lina.

Takie spustoszenia wyrządziła śmierć Vaarka. I takie skutki przyniosła uległość kobiet wobec mężczyzn czy też zamierzony brak mężczyzn w życiu kobiet. Przynajmniej tak uważał Scully. Nie potrafił dowieść, co się działo w ich głowach, ale opierając się na własnym doświadczeniu, mógł powiedzieć z całym przekonaniem, że zdrada była trucizną dnia.

Smutne.

Niegdyś myśleli, że są jakby rodziną, ponieważ z odosobnienia stworzyli bliskość. Ale rodzina, którą we własnym wyobrażeniu się stali, była nieprawdziwa. Bez względu na to, co każde z nich kochało, do czego dążyło, przed czym uciekało, czekała ich różna przyszłość, niemożliwa do przewidzenia. Tylko jedno było pewne: sama odwaga nie wystarczy. Nie mieli wspólnego rodowodu, a na horyzoncie Scully nie widział jeszcze niczego, co ich połączy. Niemniej jednak, przypominając sobie, jak wikary opisywał to, co istniało, zanim Bóg dokonał dzieła stworzenia, zobaczył ciemną materię tam w oddali, gęstą, niepoznawalną, spragnioną, by zrobiono z niej świat.

Może zarobki Scully'ego i pana Bonda nie były tak wysokie jak zarobki kowala, ale wystarczały, by wyobrazili sobie przyszłość.

Idę przez noc. Sama. Bez butów pana jest mi ciężko. W butach mogłabym przekroczyć rzekę w poprzek kamienistego koryta. Posuwam się szybko przez lasy, w dół pagórków porośniętych pokrzywami. To, co odczytuję albo przedstawiam sobie, teraz jest bezużyteczne. Psie łby, węże ogrodowce — nic nie znaczą. Ale mam wyraźną drogę po stracie ciebie, który w moich myślach zawsze jesteś moim życiem i ochroną przed zagrożeniem, przed każdym, kto patrzy na mnie bacznie tylko po to, żeby mnie wyrzucić. Przed tymi, którzy są przekonani, że mają do mnie prawo i mną rządzą. Nic dla ciebie nie znaczę. Mówisz, że jestem dzikością. Bo jestem. Czy drżą ci usta, oko? Boisz się? Powinieneś. Młot uderza powietrze wiele razy, zanim dociera do ciebie i tam słabnie. Wydzierasz mi go i rzucasz na bok. Nasze zmagania trwają długo. Odsłaniam zęby, żeby cię ugryźć, rozedrzeć. Malaik wrzeszczy. Wyginasz mi ręce do tyłu. Wyślizguję się i uciekam ci. Widzę szczypce, blisko. Blisko. Mocno wymachuję i wymachuję. Widząc, że zataczasz się i krwawisz, biegnę. Potem idę. Potem płynę. Kra odrywa się od brzegu rzeki w środku zimy. Nie mam butów. Nie mam bijącego serca nie mam domu nie mam jutra. Idę przez dzień. Idę przez noc. Pióra opadają. Tymczasem.

Mijają trzy miesiące, jak uciekam od ciebie, i dopiero teraz widzę, że z liści jest tyle krwi i mosiądzu. Kolory takie krzykliwe, że bolą oczy, i dla odpoczynku muszę patrzeć w niebo nad koronami drzew. Nocą, gdy zamiast dziennej jaskrawości pojawiają się gwiezdne klejnoty i zdobią zimne czarne niebo, zostawiam śpiącą Linę i przychodzę do tego pokoju.

Jeżeli jesteś przy życiu albo jeżeli kiedykolwiek wyzdrowiejesz, będziesz musiał schylić się, żeby przeczytać, co opowiadam, może nawet czołgać się w niektórych miejscach. Przepraszam za niewygodę. Czasem czubek gwoździa ześlizguje się i słowa wyglądają nieporządnie. Wielebny ojciec nigdy tego nie lubi. Uderza nas po palcach i każe pisać jeszcze raz. Na początku, gdy przychodzę do tego pokoju, jestem pewna, że opowiadanie doprowadzi mnie do łez, których nigdy nie mam. Mylę się. Oczy są suche i przestaję z opowiadaniem, dopiero gdy gaśnie lampa. Potem śpię między swoimi słowami. Opowiadanie trwa i nie mam snów, a gdy się obudzę, dopiero po jakimś czasie mogę się oderwać, wyjść z pokoju i zabrać się do pracy. Pracy, która jest bez sensu. Czyścimy nocnik, ale nie wolno nam go używać. Zbijamy wysokie krzyże i stawiamy na grobach na łące, a potem wyjmujemy je, skracamy i stawiamy z powrotem. Sprzątamy miejsce, gdzie umiera pan, ale nie możemy posprzątać reszty domu. Pająki rządzą tu bez przeszkód, drozdy zakładają spokojnie gniazda. Rozmaite małe żyjątka wchodzą przez okna razem z przenikliwym wiatrem. Osłaniam sobą płomień lampy i wytrzymuję kąsanie zimnych zębów wiatru, mając wrażenie, że zima nie może się doczekać, kiedy nas pogrzebie. Pani nie zważa na to, że w wychodkach jest bardzo zimno, ani nie pamięta, jak niemowlę znosi nocne chłody. Ma serce poganki. Już nie rozpływa się w uśmiechu. Ilekroć wraca z domu zborowego, błądzi oczami pozbawionymi wnętrza. Tak jak oczy kobiet, które badają mnie za drzwiami komory, oczy pani tylko się rozglądają, a to, co widzi, nie przypada jej do gustu. Nosi ciemną, skromną sukienkę. Dużo się modli. Każe spać nam wszystkim — Linie, Żałości, jej córeczce i mnie — bez względu na pogodę, albo w oborze, albo w składziku, gdzie są cegły powrozy narzędzia najróżniejsze odpadki po budowie. Spa-

nie na dworze jest dla dzikusów, mówi, koniec z moim
i Liny spaniem w hamakach pod drzewami nawet przy
dobrej pogodzie. I koniec ze spaniem przy kominku
dla Żałości i jej dziewczynki, bo pani nie lubi małej.
Którejś nocy, gdy pada lodowaty deszcz, Żałość chowa
się z dzieckiem tutaj, za drzwiami pokoju na dole,
gdzie umiera pan. Pani bije ją w twarz. Wiele razy.
Nie wie, że przychodzę tu co noc, bo też mnie by
wychłostała, jak jej zdaniem nakazuje pobożność. Od
dnia gdy praktykuje, jest inna. Ale nie wierzę, że oni
każą jej tak postępować. To są jej własne reguły —
ona nie jest już taka sama. Scully i Willard mówią, że
pani wystawia mnie na sprzedaż. Linę nie. Żałości też
chce się pozbyć, ale nie ma chętnych. Żałość jest matką.
Nikim więcej. Podoba mi się, że jest tak oddana córce.
Nie pozwala mówić do siebie Żałość. Ma nowe imię
i planuje ucieczkę. Proponuje, żebym z nią poszła, ale
ja muszę coś tu skończyć. Najgorsze jest to, jak pani
odnosi się do Liny. Każe jej chodzić z nią do kościoła,
ale Lina musi siedzieć przy drodze w każdą pogodę,
bo nie może wejść do środka. Nie wolno jej kąpać się
w rzece i musi sama uprawiać ziemię. Teraz już w ogóle
nie słyszę, że rozmawiają i śmieją się przy pracy
w ogrodzie jak dawniej. Lina chce powiedzieć, przypomnieć mi, że wcześnie ostrzega mnie przed tobą.
Ale powody, dla których mnie ostrzega, sprawiają, że

samo ostrzeżenie jest niesłuszne. Pamiętam, co mówisz mi dawno temu, gdy pan jest przy życiu. Że widzisz niewolników bardziej wolnych od wolnych ludzi. Jeden jest lwem w skórze osła. Drugi jest osłem w skórze lwa. Gdy wnętrze więdnie, wtedy następuje zniewolenie i otwierają się drzwi przed tym co dzikie. Wiem, że moje więdnięcie bierze się z komory wdowy. Wiem, że szpony pierzastego stworzenia rzeczywiście dosięgły cię, bo nie mogę powstrzymać ich, by nie rozdzierały ciebie tak, jak ty rozdzierasz mnie. Ale rzecz idzie o coś jeszcze. Lew, który uważa, że jego grzywa jest wszystkim. Lwica, która tak nie uważa. Tego uczy mnie córka Jane. Krwawiące nogi nie powstrzymują jej. Ryzykuje. Ryzykuje wszystko, żeby uratować niewolnicę, którą wyrzucasz.

Brak już miejsca w tym pokoju. Te słowa przykrywają podłogę. Od teraz będziesz stał, żeby mnie słyszeć. Ściany są kłopotliwe, bo w słabym świetle nic nie widać. W jednej ręce trzymam lampę, a drugą wydrapuję litery. Boli mnie ręka, ale muszę ci to powiedzieć. Nikomu innemu nie mogę tego powiedzieć, tylko tobie. Jestem przy drzwiach, blisko końca. Co będę robiła nocami, gdy przestanę opowiadać? Sny już nie przyjdą. Nagle coś mi się przypomina. Ty nie przeczytasz tego, co opowiadam. Ty czytasz świat, a nie litery mówione. Nie umiesz tego robić. Może kiedyś się nauczysz. Wtedy przyjedź jeszcze raz na tę farmę, rozdziel węże na swojej bramie, przekrocz próg dużego domu budzącego strach i podziw, wejdź schodami na górę, do tego mówiącego pokoju, gdy wypełnia go światło dnia. Jeżeli ty tego nie przeczytasz, nikt inny tego nie zrobi. Te staranne słowa, całkowicie zamknięte i szeroko otwarte, będą mówić do siebie. Dokoła, na boki, z dołu do góry, z góry na dół, przez cały pokój. A może. A może nie. Może te słowa potrzebują powietrza z zewnątrz, z tego świata. Muszą wzlecieć i opaść, opaść jak popiół na akry pierwiosnków i ślazu. Na turkusowe jezioro, poza wieczne choiny, przez chmury poprzecinane tęczą, żeby nadać smak tej ziemi. Lina pomoże. Ten dom ją przeraża i choć ona chce być na potrzeby pani, wiem, że bardziej kocha ogień.

Rozumiesz? Masz rację. Minha mãe też. Staję się dzikością, ale również jestem Florens. W pełni. Tą, której nie jest wybaczone. Tą, która nie wybacza. Bez serca, mój ukochany. W ogóle bez serca. Słyszysz mnie? Niewolnicę. Wolną. Trwam.

Zostaje we mnie tylko jeden smutek. Przez cały ten czas nie wiem, co mówi do mnie matka. A ona też nie wie, co ja chcę powiedzieć jej. Mãe, możesz się teraz cieszyć, bo podeszwy moich stóp są twarde jak cyprys.

Ż aden z nich nie będzie chciał twojego brata. Znam ich gusty. Piersi dają więcej przyjemności niż prostsze rzeczy. Twoje też rosną za wcześnie i zaczyna cię złościć obwiązywanie dziewczęcej klatki piersiowej. Oni widzą, a ja widzę, że oni widzą. Nic dobrego nie wyniknie, nawet jeżeli dam cię jednemu z chłopców z kwatery. Figo. Pamiętasz go. Ten, który był łagodny dla koni i bawił się z tobą na podwórzu. Zbierałam okrawki dla niego, a reszcie zanosiłam grasicę. Bess, jego matka, znała moje zamiary i nie sprzeciwiała się. Pilnowała swojego syna jak jastrząb, tak jak ja ciebie. Ale to nic nie daje na dłużej, moja kochana. Nie było bezpieczeństwa. Żadnego. Zwłaszcza przy twojej słabości do butów. Zupełnie tak jakbyś poganiała swoje piersi i również nęciła usta starych małżonków.

Zrozum mnie. Nie było bezpieczeństwa ani nie było

niczego w katechizmie, żeby im odmówić. Próbowałam powiedzieć wielebnemu ojcu. Miałam nadzieję, że jeżeli zdołamy nauczyć się liter, to kiedyś jakoś dasz sobie radę. Wielebny ojciec był pełen dobroci i dzielności, mówił, że tego chce Bóg, nieważne, czy go za to ukarzą grzywną, wsadzą do więzienia, wykurzą ogniem karabinów jak innych księży, którzy uczyli naszych czytać. Uważał, że będziemy bardziej kochać Boga, gdy poznamy litery pozwalające czytać. Tego nie wiem. Wiem za to, że w wiedzy jest magia.

Gdy przyjechał na obiad wysoki mężczyzna z żółtymi włosami, zauważyłam, że nie smakowało mu jedzenie, i zauważyłam w jego oczach coś, co mówiło, że nie ufa senhorowi, senhorze ani ich synom. On idzie inną drogą, pomyślałam. Jego kraj jest daleko stąd. On nie ma w sercu zwierzęcia. Ani razu nie spojrzał na mnie tak, jak patrzył senhor. Nie chciał.

Nie wiem, kto jest twoim ojcem. Było za ciemno, żeby ich rozpoznać. Przyszli nocą i wzięli nas trzy, także Bess, do suszarni tytoniu. Cienie mężczyzn siedziały na beczkach, potem wstały. Powiedzieli, że kazano nas ujeździć. Nie ma bezpieczeństwa. Tutaj kobieta jest jak otwarta rana, która nie może się zagoić. Nawet jeżeli się zabliźni, pod spodem wiecznie ropieje.

Od dawna król naszych rodzin i król innych obrzucali się wyzwiskami. Zdaje się, że mężczyznom dobrze robi wyzywanie bydła, kobiet, wody, zbóż. Sytuacja jest gorąca i w końcu mężczyźni z ich rodzin palą nam domy i zabierają tych, których nie mogą zabić albo przehandlować. Związanych jeden z drugim pnączami przenoszą naszych w cztery miejsca po kolei, w każdym znowu handlowanie, odrzucanie najsłabszych, umieranie. Przybywa naszych i ubywa, aż może siedem razy po dziesięciu albo dziesięć razy po dziesięciu wpędzają do zagrody. Tam widzimy ludzi, którzy wyglądają jak chorzy albo martwi. Szybko okazuje się, że ani to, ani to. Ich skóra myliła. Mężczyźni do pilnowania naszych i sprzedawania są czarni. Dwóch ma kapelusze i dziwne szmatki na szyi. Zapewniają naszych, że bieleni ludzie nie chcą naszych zjeść. Mimo to niedola się ciągnie. Czasem śpiewaliśmy. Niektórzy z naszych walczyli. Najczęściej spaliśmy albo płakaliśmy. Potem bieleni ludzie rozdzielili naszych i wsadzili na czółna. Dopływamy do domu unoszącego się na morzu. W każdej wodzie, rzece czy morzu są pod spodem żarłacze. Bieleni ludzie, którzy naszych pilnują, cieszą się z tego tak samo, jak żarłacze cieszą się z sutego jedzenia.

Byłam zadowolona z krążących rekinów, ale omijały mnie — może wiedziały, że wolę ich zęby od łańcuchów na szyi w pasie na kostkach. Gdy czółno przechylało się na bok, niektórzy nasi wyskakiwali, innych wciągało pod wodę i nie widzieliśmy wirów ich krwi, dopóki nie wyciągnięto naszych żywych i nie oddano pod straż. Wsadzają naszych do domu, który unosi się na morzu, i pierwszy raz zobaczyliśmy szczury. Nie wiedzieliśmy, jaką śmierć wybrać. Niektórzy próbowali; część umarła. Nie jemy ociekającego tłuszczem jamsu. Dusimy się za gardła. Oddajemy swoje ciała rekinom, które płyną za nami dzień i noc. Wiem, że z przyjemnością ożywiali naszych batem, ale widziałam też, że z przyjemnością chłostali swoich. Rządzi tu nierozsądek. Kto wyżyje kto umrze? Kto mógł wiedzieć przy tym jęczeniu i wyciu w ciemnościach, w okropności? Czym innym jest żyć we własnych odchodach, a czym innym w cudzych.

Barbados, słyszałam, jak mówili. Po zastanawianiu się tyle razy, dlaczego nie mogę umrzeć jak inni. Po udawaniu nieżywej, żeby mogli wyrzucić mnie za burtę. Rozum wymyśla jedno, ale ciało chce czego innego. A więc na Barbados, gdzie z ulgą odetchnęłam czystym powietrzem i stanęłam wyprostowana pod niebem takiego koloru jak w domu. Wdzięczna za znajomy żar słońca w miejsce gorąca stłoczonych ciał. Wdzięczna również za ziemię pod stopami, choć tylu naszych wepchnięto do zagrody. Zagroda była mniejsza od ładowni, w której płynęliśmy przez morze. Jednemu po drugim kazano wysoko podskakiwać, pochylać się, otwierać usta. Dzieciom najlepiej to wychodziło. Jak trawa zdeptana przez słonie podnosiły się do życia. Już od dawna nie płakały. Patrząc szeroko otwartymi oczami, teraz starały się przypodobać, pokazać, co potrafią, i w ten sposób udowodnić, że są warte tego, by żyć. Mało prawdopodobne, że przeżyją. Bardzo prawdopodobne, że przyjdzie następne stado i je zniszczy. Stado mężczyzn z krzywymi zębami, którzy przebierają palcami po okuciach batów. Mężczyzn rozpalonych do czerwoności żądzą. Albo, jak się później przekonałam, wyniszczonych zabójczymi stworzeniami ziemnymi w trzcinie cukrowej, którą mieliśmy tam ścinać. Wężami, tarantulami, jaszczurkami, na które oni mówili aligatory. Niedługo topiłam się z gorąca na polu trzciny, potem zabrano mnie i kazano siedzieć na platformie w słońcu. Tam dowiedziałam się, że nie jestem osobą z mojego kraju, że nie należę do moich rodzin. Byłam negrita. Wszystko. Język, ubiór, bogowie, taniec, zwyczaje, ozdoby, pieśni — wszystko ugotowało się na kolor mojej skóry. I jako czarną kupił mnie senhor, zabrał z pola trzciny, wysłał statkiem na północ, gdzie miał pola tytoniu. Nadzieja w takim razie. Ale najpierw parzenie się, zabranie mnie, Bess i jeszcze jednej do suszarni. Potem ci, co mieli nas ujeździć, przepraszali. A nadzorca dał nam po pomarańczy. I byłoby w porządku. Byłoby dobrze za jednym i za drugim razem, bo dzięki temu miałam ciebie i twojego brata. Ale później był senhor i jego żona. Spróbowałam opowiedzieć wielebnemu ojcu, ale wstyd poplątał moje słowa. Nie zrozumiał albo nie chciał uwierzyć. Powiedział, żebym się nie lękała i nie wątpiła, tylko kochała z całej duszy Boga i Jezusa Chrystusa; żebym modliła się o wybawienie, które nastąpi w dniu sądu; że bez względu na to, co mówią inni, nie jestem bezdusznym zwierzęciem, nie jestem wyklęta; że protestanci są w błędzie, pozostają w grzechu, i jeżeli nadal będę czysta w myślach i uczynkach, opuszczę ten ziemski padół i otrzymam życie wieczne, amen.

Ale ty chciałaś mieć buty rozpustnej kobiety, a obwiązywanie ci piersi nic nie pomogło. Wpadłaś w oko senhorowi. Po obiedzie wysoki mężczyzna poszedł z senhorem na przechadzkę między kwaterami, a ja śpiewałam przy pompie. Piosenkę o zielonym ptaku, któremu małpa kradnie jajka, a on z nią walczy i potem umiera. Gdy usłyszałam ich głosy, zabrałam ciebie i twojego brata i stanęłam im przed oczami.

Jedyna okazja, pomyślałam. Nie ma bezpieczeństwa, ale jest różnica. Stałaś tam w tych butach i wysoki mężczyzna powiedział, że weźmie mnie jako wyrównanie długu. Wiedziałam, że senhor nie zgodzi się. Powiedziałam ciebie. Żeby wziął ciebie, moją córkę. Bo widziałam, że wysoki mężczyzna zobaczył w tobie małego człowieka, a nie hiszpańskie talary. Uklękłam przed nim. Licząc na cud. Mężczyzna się zgodził.

To nie było cudem. Boskim cudem. Było odruchem serca. Człowieczego serca. Klęczałam dalej. W pyle, gdzie moje serce pozostanie dzień i noc, aż zrozumiesz to, co ja wiem i pragnę ci powiedzieć: otrzymanie władzy nad drugim człowiekiem jest ciężką rzeczą; zagarnięcie władzy nad drugim człowiekiem jest złą rzeczą; oddanie władzy nad sobą drugiemu człowiekowi jest niegodziwą rzeczą.

Och, Florens. Moja kochana. Usłysz tua mãe.